马超营断裂带

构造特征及金矿成矿研究

燕建设　庞振山　岳铮生　张宗恒　等著

黄河水利出版社

内 容 提 要

本书以现代构造和成矿理论为指导，深入研究了马超营断裂带的形态学、运动学和动力学特征，阐明了马超营断裂带的形成环境及发展演化过程，建立了马超营断裂带的构造成矿模式和找矿模型。对区内不同类型金矿床的硫、铅、氢、氧同位素特征，成矿流体包裹体及金在热液中的活化迁移状态等方面均作了系统研究和探讨。

本书可供从事构造地质学、金矿勘查和研究的科研、生产人员，以及有关大专院校师生阅读参考。

图书在版编目（CIP）数据

马超营断裂带构造特征及金矿成矿研究／燕建设等著.
郑州：黄河水利出版社，2005.7
ISBN 7 - 80621 - 927 - 7

Ⅰ.马…　Ⅱ.燕…　Ⅲ.断裂带－金矿床－控矿构造－研究－河南省　Ⅳ.P618.51

中国版本图书馆 CIP 数据核字（2005）第 063133 号

策划组稿：王路平　☎ 0371－66022212　E-mail：wlp@yrcp.com

出　版　社：黄河水利出版社
地址：河南省郑州市金水路 11 号　　邮政编码：450003
发行单位：黄河水利出版社
发行部电话：0371－66026940　　传真：0371－66022620
E-mail：yrcp@public.zz.ha.cn
承印单位：黄河水利委员会印刷厂
开本：787 mm×1 092 mm　　1／16
印张：9.5
字数：250 千字　　　　　　　印数：1—1 500
版次：2005 年 7 月第 1 版　　印次：2005 年 7 月第 1 次印刷
书号：ISBN 7 - 80621 - 927 - 7／P·41　　定价：18.00 元

前　言

马超营断裂带位于华北陆块南部边缘活动带，为一条区域性深大断裂。它具有复杂的地质构造特征和漫长的发展演化历史，对该区沉积建造、岩浆活动、构造发展演化具有显著的控制作用。详细研究马超营断裂带，对查明华北陆块南缘乃至毗邻的秦岭造山带的岩浆作用、构造体制及大陆岩石圈演化间的相互关系有重要的理论意义。马超营断裂带及其南、北两侧发育有众多的金、铅、锌、银和钼矿床等，其分布受马超营断裂带及其派生断裂的控制，是豫西地区最重要的控矿断裂之一。因此，加强马超营断裂带及其与成矿关系的研究，对指导该区优势矿产资源的勘查开发具有较大的现实意义。

1990 年，河南省地质矿产厅第一地质调查队承担了河南省地质矿产厅重点科研项目《熊耳山南缘马超营断裂带构造特征、成矿条件研究及金矿成矿预测》的研究任务。工作范围西起河南省卢氏县三门，东至嵩县嗣堂，东西长 75 km，南北宽 3～5 km，总面积约 300 km²。研究内容包括：马超营断裂带韧性剪切变形变质特征，构造活动演化机制，控岩控矿特征，断裂带与含矿流体的活化、迁移、沉淀、富集的关系，并采用地质、物探、化探、遥感等综合手段，研究区内金的地球化学特征，探讨金矿成矿规律，预测区内金矿成矿潜力和找矿前景。

1990～1992 年，笔者运用现代地学理论和技术方法，对马超营断裂带的构造特征、构造演化模式，成矿条件，主要金矿床类型及特征，成矿的地球物理、地球化学，同位素地质、物理化学条件及矿床成因等进行了深入研究，在此基础上通过系列编图总结出成矿模式及找矿标志，开展了金矿成矿预测，指出了找矿方向。该项目取得了理论研究上的重要进展和找矿方面的较大突破，具有显著的社会效益和经济效益。研究报告于 1994 年在洛阳通过了由河南省地质矿产厅组织的专家评审验收，被评为优秀报告。

本书是在该项目科研报告的基础上，增补近年综合研究所获得的新进展和新资料撰写而成。前言、第一章、第二章由庞振山、燕建设执笔；第三章由燕建设、杨建朝执笔；第四章由庞振山、燕建设执笔；第五章由岳铮生、郭水和执笔；第六章由张宗恒、岳铮生、王铭生执笔；第七章由庞振山、郭水和、王铭生执笔；第八章由燕建设、杨建朝、郭水和执笔。全书统稿工作由庞振山、燕建设完成。

项目技术顾问梁文艺教授、张维吉研究员，瞿伦全、郭抗衡高级工程师在学术思想和技术路线等方面给予了全面指导。中科院地质所研究员赵瑞、谢奕汉对硫、氢、氧同位素及包体样品进行了化验和测试，同时对本区金矿成矿物理化学条件进行了专项研究并提出了许多建设性意见。本书插图、文字输入和排版由智改鸽完成。在此谨对上述单位和专家等表示衷心感谢。

作　者

2005 年 3 月

前　言

目 录

第一章 绪 论

马超营断裂带位于华北陆块南缘，是熊耳山南坡最大的北西西一近东西向区域性大断裂，为潘河—卢氏—马超营断裂带的东段，东起潭头盆地以东，可能与伏牛山北缘断裂带相接，向西经狮子庙、马超营，在卢氏与潘河—卢氏断裂带相连，长 50 km，走向 270°~300°，倾向北，倾角 50°~80°。据地球物理资料，断裂带在物探剖面居里面上显示的深度为 34~37 km，下切深度达 10 km，为一条区域性深大断裂。它具有复杂的地质构造特征及漫长的发展演化历史，对该区沉积建造、岩浆活动、构造发展具有明显的控制作用。因而，它对研究华北陆块南缘及秦岭造山带的构造演化具有重要的理论意义。近期找矿实践表明，马超营断裂带控制了多种矿产的成矿与分布。断裂带内矿产以金、银、铅、钼为主，断裂带以南为钼、钨矿聚集带，以北为金矿密集区，这一矿种分布格局明显受马超营断裂带制约。因而，为推动熊耳山区金矿勘查工作的发展，对马超营断裂带开展专题研究具有重要的现实意义。

第一节 马超营断裂带研究的目的任务

本研究的目的任务是：通过对马超营断裂带韧性剪切变形变质，构造活动演化机制与含金流体的活化、迁移、沉淀、富集关系的研究，采用地质、地球物理、地球化学等综合手段，研究和探讨区内金矿成矿规律及地球化学特征，预测区内金矿成矿前景。

重点研究区的范围(见图 1-1)：西起卢氏县三门，东至嵩县嗣堂，东西长 75 km，南北宽 3~5 km，总面积约 300 km²。地理坐标为东经 111°15′~112°03′45″；北纬 33°53′17″~34°04′08″。同时，为了获取更多的找矿信息，在重点研究区的基础上，适当扩大了研究范围，作为一般研究区开展工作。

第二节 马超营断裂带研究简史

新中国成立以来，国内众多生产、科研单位对马超营断裂带开展了大量基础地质调查和专题研究工作。

一、区域地质调查

1956~1958 年，原地质矿产部秦岭区域地质测量大队及河南省区域地质调查队完成了 1:20 万洛宁幅、栾川幅、鲁山幅区域地质调查，同时配合重砂、金属量测量等手段，圈定了栾川—三川铜、铅、锌、钼、钨等多元素组合异常区，并发现了上房、南泥湖钼矿床及一些多金属矿(化)点。1965 年正式出版了地质图、地质矿产图及说明书，首次形成了一套系统、完整的区域地质资料，有效地指导了该区地质矿产的调查与研究。

河南省地质局地质三队及河南省地矿局第一地质调查队于 1973~1976 年对栾川南部地区，1977~1978 年对嵩县西北部地区，1978~1980 年对洛宁南部地区，1982~1986 年对栾川北部地区，1987~1989 年对嵩县、大章两图幅和木植街、合峪两图幅的北半幅，先后完成了 1:5 万区域地质调查，极大地提高了区域地质矿产研究程度，积累了丰富的地质资料。

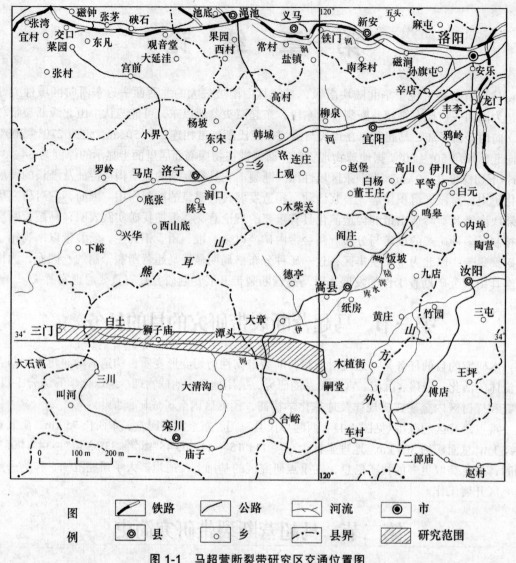

图例

	铁路		公路		河流		市

图 例

	县		乡		县界		研究范围

图 1-1 马超营断裂带研究区交通位置图

二、物化探工作

1958～1960 年,地质矿产部 902、903、905 航磁队分别在该区进行了 1∶20 万、1∶10 万、1∶5 万航磁测量,圈出了 13 处航磁异常区。

1966～1967 年,地质矿产部 332 队、333 队,河南省地质局豫 01 队、豫 02 队、地质三队,陕西第二物探队等单位,曾先后对区内航磁异常区进行过地质检查。

1973 年,国家地质总局第三物探大队,在本区铁岭以西、白土—潭头一线以南进行过 1∶5 万水系沉积物测量。

1979～1981 年,河南省地矿局第一地质调查队完成了熊耳山南麓 1∶5 万水系沉积物测量,提交了《河南省熊耳山南麓地区水系沉积物测量报告》,圈定了一批金、钼等地球化学异常,从而启动了熊耳山及其周围地区的金矿找矿工作。

1980 年,河南省地质局 14 地质队对包括白土调查区在内的熊耳山南坡地区进行了 1∶5 万航磁测量。

三、矿产勘查工作

1957~1959 年，河南省地质局豫 01 队，对上房、南泥湖钼矿和骆驼山钨铜矿进行了勘查工作，完成了南泥湖钼矿、包头砦铜钼矿、中鱼库钨铜矿及马圈钼矿等矿区的普查评价工作。

1965~1966 年，豫 20 队在栾川鱼库进行过铁矿普查工作。河南省地质局地质 18 队在栾川康山一带进行过金矿普查，发现矿化蚀变破碎带 100 余条，编写有《康山矿区山金普查报告》，并曾对范家洼 11 号矿脉估算金储量为 621 kg。

1967~1969 年，豫 18 队对栾川白土太洞沟进行过铅矿调查评价，完成 1：1 万地质草测 24 km²、1：2 000 地质草测 2.88 km²，并投入了部分地表揭露工程，提出了需要进一步工作的意见。

1971~1975 年，河南省地质局地质三队在大青沟一带开展过 1：1 万铜矿调查，陕西二物 333 队配合进行了激电测量和化探工作。

1971~1977 年，河南省地质局地质三队对三道庄钼矿、南泥湖钼矿进行了勘探，并提交有相应的勘探报告。

1975 年，河南省地质局地质三队对老庙沟 Ym—340 航磁异常进行了地质、物探综合性普查工作，认为该区具有一定的钼、钨找矿前景。

1982 年以来，武警黄金部队十四支队在康山地区展开岩金矿普查勘探工作，评价了一处中型规模金矿床，并提交有相应的地质报告。

1983 年以来，河南省地矿厅地调一队在测区进行化探异常查证及矿产勘查，先后发现并评价了北岭、庙岭、店房、红庄、牛头沟等许多金矿床，并提交有相应的地质勘查报告。

1987 年以来，河南省地矿厅地调二队、地调四队、地质二队、区调队、物探队及核工业部 308 队、省有色金属四队等单位在区内开展了金矿勘查，评价了窑沟、老代庄、范圪瘩、东沟、前河、石家岭等金矿床，并提交了相应的地质勘查报告。

四、科研工作

国内外众多的知名学者在此开展过各种基础地质研究，发表了大量的论文和专著。基础地质专题研究程度较高，通过新理论和新方法的运用，建立了统一的地层、岩石、构造格架，为研究秦岭—大别造山带的构造演化，正确认识成矿地质条件提供了可靠的理论基础。

20 世纪 80~90 年代河南省地矿厅先后编制了第一代、第二代和第三代 1：50 万《河南省地质图和说明书》及地质志。1987 年以来，由河南省地矿厅第一地质调查队编制了豫西地区 1：20 万地质图，对本区地层、构造、岩浆岩等进行了系统划分，并对地层进行了详细探讨。第一轮"秦巴地质科研规划"以及第一、二轮成矿远景区划，在对本区基础地质及成矿规律认识方面，提出了不少新的成果。1982 年，河南省地矿厅地调一队开展了南泥湖钼矿田成矿地质条件及富集规律——关于小岩体、围岩蚀变及其与成矿关系的研究，与武汉地质学院共同开展了栾川县南泥湖钼矿田原生晕模式及成矿机理研究，对钼矿田的地球化学特征及成矿机理进行了翔实的研究。

现已完成的"熊耳山区构造蚀变岩型金矿研究报告"（河南省地质矿产局第一地质调查队，1988）；"熊耳群火山岩系金的成矿作用研究报告"（天津地质矿产研究所，1988）；"河南省熊耳山—外方山区遥感物化探配合在栾川群及相邻地层中寻找金矿靶区的研究报告"(河南地质矿产局地质科学研究所、区域地质调查队，1989)；"河南省熊耳山地区区城重力调查报告"(1∶20万，河南省地质矿产厅地球物理探矿队，1990)。这些科研成果，均对马超营断裂带作了一些研究和探索。

总览前人成果，大多属矿产普查性质，有关马超营断裂带的研究程度尚低，特别是构造演化、变形变质与金矿成矿关系的研究工作基本未涉及，这就为本课题研究工作提出了新的要求。

第三节　工作简况及取得的主要地质成果

本次工作于1990年开始野外踏勘、立项，1991年5月提交总体设计，于1992年经河南省地质矿产厅组织专家审查批准(审批文豫地字[1992]245号)后实施，工作简况如下：

(1)全面系统地收集了区内地质、矿产、物化探、科研等资料，对各类资料包括测试成果进行了综合研究整理、系统登记、分类造册，建立了矿床(点)等卡片。在此基础上编制了马超营断裂带地质图(1∶10万)、地质矿产图(1∶5万)、地质构造图(1∶5万)。

(2)对全区进行了系统的踏勘、调研，内容包括重点构造剖面、重点的矿化区带及矿床(点)的研究与解剖，并系统采集了光薄片、稳定同位素及包体样、岩组样等样品。

(3)为了研究马超营断裂带在构造演化过程中不同时期、不同阶段、不同性质、不同层次的构造活动特点，重点研究和修测了典型构造剖面4条，长约20 km。特别是通过对糜棱岩带的追索、圈定和对其运动学、动力学性质的研究发现，沿马超营断裂带在地质历史中曾发生过规模巨大的"伸展活动"及"逆冲推覆活动"，这两期构造运动对马超营断裂带的构造定型和金矿成生起了重要作用。

(4)为了研究以金为主及相关元素在断裂带中活化、迁移的规律，元素组合、富集和分带规律，研究断裂构造多期活动对矿化热液的作用及不同元素矿化富集的控制意义，进而研究沿断裂带异常分布规律及异常与矿化的关系，建立地球化学找矿模式，为成矿规律的研究和成矿预测提供地球化学依据。开展了面积性原生晕构造地球化学研究，横穿马超营断裂带，以2~3 km间距布线，共完成原生晕构造地球化学采样线22条，总长度达80余km，取样653件，控制面积达300 km²。共分析14个元素，即：Au(化学光谱)；Ag、Pb、Zn、Cu、Mo、Co、Ni、Mn、Ba、Sr(发射光谱)；As、Sb、Bi(原子吸收光谱)。这一工作是马超营断裂带，也是豫西区域性大断裂构造地球化学研究的首次尝试。

(5)收集和重新整理了部分重点矿区的地球化学资料。主要有：前河金矿1∶5 000岩石地球化学测量成果及前河—杨寺沟水系沉积物测量成果，圈定并编绘了Au、Ag、Pb、Zn、Cu元素地球化学图和综合异常图；对栾川红庄金矿区(30 km)岩石地球化学测量资料重新进行了整理，通过数据处理，提取了若干新的信息，为该矿区地球化学特征、成矿规律研究及找矿靶区筛选提供了新的依据。

(6)开展了矿点检查和异常查证工作，新发现金矿(化)点2个；铜(金)矿(化)点2个；通过对嵩县银鹿坪Au~Pb异常检查，发现了多条金、铜矿化蚀变带，具有进一步工作价值；检查了嵩县杨寺沟、金古垛Au异常，发现了新的含金地质体。

(7)通过综合研究，深入分析控矿条件和成矿规律，建立了成矿模式。通过综合信息选置法并辅以成矿信息量数理统计法圈定矿体和划分成矿远景区，编制了1∶5万金矿成矿预测图和综合研究报告(本书未涉及)。

此次研究完成的工作量见表1-1。

表 1-1　完成的工作量一览表

项目	单位	工作量	分析项目	测试单位
微金样	个	816	Au	河南省第一地质调查队
近似定量样	个	881	As、Sb、Bi	河南省第一地质调查队
光谱半定量样	个	853	Pb、Zn、Cu、Ag、Co、Ni、Mo、Mn、Ba、Sr	河南省第一地质调查队
化学样	个	11	Au	河南省第一地质调查队
岩石化学样	个	26	SiO_2、CaO、K_2O、Na_2O	河南省第一地质调查队
单矿物分离	个	8	硫化物、氧化物	河南省第一地质调查队
单矿物微量元素分析样	个	26	Au、Ag、Pb、Zn、Cu、S、Fe、Cr、Co、Ni、Cd、As、Sb、Hg、Se	地科院矿床所 宜昌地质矿产研究所 中科院地质所
硫同位素样	个	52	$\delta^{34}S$	中科院地质所
包体成分分析样	个	16	H_2O、CO_2、CH_4、CO、K^+、Na^+、Mg^{2+}、F、Cl、SO_4^{2-}	中科院地质所
包体均一测温样	个	18	$\delta^{18}O$、δD_{H_2O}、$\delta^{18}O_{H_2O}$	中科院地质所
岩组分析样	个	3		西安地质学院
H、O同位素样	个	8		中科院地质所
定向薄片	块	102		西安地质学院
岩矿薄片	块	79		西安地质学院 河南省第一地质调查队
光片	块	8		河南省第一地质调查队
复查岩矿薄片	块	400		西安地质学院

修测构造地质剖面 4 条，长 26.6 km；
测制构造地质地球化学剖面 51 条，长约 100 km；
检查化探异常 5 个，检查矿点 12 个

第二章 区域地质背景及矿产

研究区位于华北陆块南缘。以马超营断裂带为界，以北为华熊台隆，以南至栾川断裂带为洛南—栾川台缘褶皱带。二者地壳同具明显双层结构，地层、构造、岩浆活动等特征也具有相似性。

第一节 地 层

研究区属华北地层区豫西分区，横跨熊耳山小区和卢氏—确山小区。出露的基底地层有太古宇太华岩群，盖层有中元古界熊耳群、高山河组、官道口群、上元古界栾川群、震旦系陶湾群。在潭头—大章盆地发育第三系，沿沟谷分布有第四系松散堆积物。

一、太古宇太华岩群

该地层沿马超营断裂带两侧断续分布，主要出露在大清沟一带，出露面积约 100 km²。与上覆中元古界熊耳群呈角度不整合或断层接触，在大清沟一带被中元古界官道口群超覆。为一套角闪岩相变质杂岩，主要岩性为斜长角闪片麻岩、斜长角闪岩、角闪岩及长英质片麻岩、变粒岩等。原岩以中基性火山岩-沉积岩为主，有太古宙 TTG 花岗岩及钙碱性花岗岩侵入，组成太古宙花岗-绿岩带。

二、中元古界熊耳群

该层为一套中基性-中酸性火山熔岩，夹少量火山碎屑岩。在马超营断裂带以北大面积分布，剖面累积厚度约 6 800 m(庞振山等，2003)。马超营断裂以南，因濒临火山喷发边缘而主要沿断裂分布，且厚度急剧变薄甚至缺失，受构造影响普遍具片理化，变质相可达绿片岩相。根据岩性组合，熊耳群自下而上分为大古石组、许山组、鸡蛋坪组、马家河组和龙脖组。

大古石组：为一套河湖相碎屑堆积，主要岩性为长石石英砂岩、夹安山岩，与下伏太华岩群呈角度不整合接触。区内零星出露，厚度变化大，一般为 0 ~ 92 m。

许山组：为一套中基性熔岩，岩性以灰绿色块状、杏仁状大斑安山岩、大斑玄武安山岩为主，与下伏大古石组呈喷发整合接触或与太华岩群为角度不整合接触或断层接触，其上被鸡蛋坪组整合覆盖。在马超营断裂以北厚 2 395 ~ 2 900 m，以南厚 1 043 ~ 1 634 m。

鸡蛋坪组：为一套中酸性熔岩，岩性主要为流纹斑岩、英安斑岩、石泡流纹岩、灰紫色流纹质火山角砾集块岩，夹安山岩、安山玢岩。马超营断裂以北厚 1 591 m，以南厚 292 ~ 386 m。

马家河组：下部以安山岩为主，夹多层凝灰岩和少量长石石英砂岩；上部以粗安岩、粗面岩为主，夹多层凝灰岩、砂岩和大理岩、硅质岩透镜体。马超营断裂以北厚 1 685 m，以南厚 1 230 m。

龙脖组：为一套灰色流纹斑岩，局部相变为英安斑岩，是熊耳晚期侵出-溢流的产物。

研究区熊耳群古火山岩，按照岩浆由基性→酸性的演化趋势，可以划分两个完整的喷发旋回。第一旋回由许山组→鸡蛋坪组组成，岩浆总体由中基性→中酸(酸)性演化。第二旋回由马家河组→龙脖组组成，岩浆由中基(基)性→(偏碱性)酸性演化。

熊耳群古火山岩的岩石化学成分与戴里同类岩石平均化学成分对比，具有富铁、高钾、高铝、低钙特点，以钙碱性系列岩石为主；晚期碱钙性岩石大量增加，并出现钾玄岩，应属钾质岩系。研究表明，熊耳群古火山岩为中元古代早期(1 850～1 700 Ma)华北陆块南部张裂构造环境产出的板内火山岩系，源自地幔和壳层重熔物质。

三、中元古界高山河组

该层零星分布于南天门断裂以南，秋扒北核桃园沟—大坪—带发育最全，厚度最大。据其岩性组合特征分为三段：下段为灰白色中厚层状石英砂岩夹紫红色云母黏土岩，底部为薄层砾岩，厚44～83 m；中段灰绿色辉石粗面斑岩夹蚀变安山岩，厚度56～134 m；上段为浅肉红色、灰白色石英砂岩和紫红色黏土岩互层，厚度32～78 m。为一套滨浅海相沉积。

四、中元古界官道口群

南天门断裂以南与熊耳群接触，或整合于高山河组之上；以北与太华岩群呈角度不整合接触。自下而上分为龙家园组、巡检司组、杜关组、冯家湾组和白术沟组。

龙家园组：主要岩性为灰白色厚层状白云岩与硅质条纹白云岩互层，含波状、柱状、丘状叠层石。厚度1 408.8 m。

巡检司组：主要岩性为灰-灰白色硅质条带结晶白云岩，底部为灰色钙质白云石板岩、含磁铁白云石石英板岩、含砾绢云千枚岩。厚度143～748.8 m。

杜关组：上部为杂色泥钙质白云石板岩夹绢云母千枚岩，下部为灰白色硅质条纹结晶白云岩及钙质千枚岩，底部为含硅质角砾千枚岩与硅质角砾岩。厚度91.9～241 m。

冯家湾组：主要岩性为浅灰色厚层状白云石大理岩，灰色厚层状硅质条纹白云石大理岩，夹硅质条纹(带)白云岩；顶部为绢云石英白云岩与炭质绢云千枚岩互层。厚度161～3 780 m。

白术沟组：分布于青和堂、大坪及黄背岭一带。为一套含炭质的细碎屑-黏土质沉积岩。下部以炭质千枚岩、绢云石英片岩与长石石英岩互层。中部为厚层状细粒钾长石英岩、钾长变粒岩。上部为黑色板状炭质千枚岩，夹薄层石英岩和大理岩。厚度104～1 011 m。

官道口群主要出露于卢氏—栾川台缘褶皱带，竹园沟断裂带以北—马超营断裂带之间，在华熊台隆仅出露少量龙家园组。为滨浅海相陆源碎屑岩-碳酸盐岩建造。上部有少量有机质。白云岩的脆性较强，且化学性质活泼，是多金属成矿的有利部位。沿马超营断裂带，铅、锌、银、金矿富集。

五、上元古界栾川群

出露于洛南—栾川台缘褶皱带，竹园沟断裂带以南—栾川断裂带之间。根据岩性组合和沉积旋回，自下而上分为三川组、南泥湖组、煤窑沟组、大红口组和鱼库组等五个组。

三川组：下部以含石英砂砾的变质砂岩为主，夹黑色含炭千枚岩；上部以大理岩为主夹绢云钙质片岩。厚度321～471.6 m。

南泥湖组：岩性为一套浅海相碎屑岩-碳酸盐岩沉积建造。下段为薄层状石英砂岩；中段以变斑二云片岩为主，夹炭质千枚岩；上段主要为不纯的大理岩。厚度240～500 m。

煤窑沟组：岩性为一套潮下—潮间相的陆源碎屑岩-富含生物礁及有机质的镁质碳酸盐岩沉积建造。底部为变质细砂岩、片岩、大理岩互层；中部以白云石大理岩为主；下部含丰富的叠层石；

上部以含叠层石白云质大理岩为主，夹片岩和石煤。厚度 441~1 100 m。

大红口组：以变质粗面岩为主，夹少量变质火山碎屑岩、火山沉积岩及白云石大理岩。厚度 620~958 m。

鱼库组：岩性以硅质大理岩为主，局部见到由风暴作用形成的角砾状大理岩。厚度 43~605.5 m。

栾川群自下而上组成五个从陆源碎屑岩–碳酸盐岩沉积旋回，代表五次大规模海侵过程。在大红口组岩浆活动期，出现了大规模的火山喷发。白术沟组含磷、钒、钼、铅、锌、银较高；有机质含量亦较高，煤窑沟组发育有石煤层，说明当时为还原沉积环境；可能为一半封闭的海湾。有机质和化学性质活泼的碳酸盐大量分布，且碳酸盐中铅、锌、银含量高于克拉克值，是多金属成矿的有利条件。

六、下第三系

该层主要分布于潭头—大章新生代断陷盆地中，为一套河湖相沉积，出露面积约 130 km²，自下而上分为高峪沟组、大章组。

高峪沟组：为一套紫红色砂岩、粉砂岩夹砂砾岩沉积。厚度 585~703 m。

大章组：主要岩性为灰白、黄绿色砂质灰岩、钙质砂岩、泥灰岩、黏土岩、页岩互层，夹少量劣质油页岩及褐煤，底部为砂砾岩。厚度 430~528 m。

七、第四系

该层主要由砂、砾石、黏土组成，一般厚度数米至数十米。构成现代河床、河漫滩、河成阶地。

第二节　区域构造

以潘河—马超营大断裂为界，以北的华熊台隆熊耳山隆断区，发育近东西向的宽缓褶皱和近东西向、北东向脆韧性断裂；以南的卢氏—栾川台缘坳褶带，发育一系列产状相近、向南逆冲的推覆断层，逆冲断层之间为一系列轴面近东西向、向北陡倾的倒转褶皱。

一、褶皱构造

白土—三里坪向斜：展布于马超营断裂北部华熊台隆南缘的白土—三里坪一带。长约 33 km，南北宽 6~15 km，轴向北西，枢纽具波状起伏。两翼地层倾角 30°~50°。南翼被马超营断裂破坏，保留不完整。向斜核部地层为高山河组和龙家园组。为两翼对称的开阔向斜褶曲。形成于前加里东期，燕山期构造活动叠加。两翼地层中金、铅、锌、银矿化较强。

三门—重渡背斜：位于马超营断裂南侧，北西向延伸，轴线走向 105°，轴面北倾，倾角 53°，两翼产状均向北北东倾斜，倾角 45°~60°，南翼倒转。许山组构成背斜核部，两翼为鸡蛋坪组、马家河组。为一同斜褶曲构造。

大清沟背斜：位于马超营断裂与南天门断裂之间的大清沟一带，长约 40 km。背斜核部为太华岩群杂岩，呈穹状。两翼被断层破坏。

三川—栾川陷褶断带中褶皱：形态复杂，紧密褶曲轴面向北倾，呈歪斜褶曲或倒转褶曲。由于断层破坏，残缺不全；能够确定的褶曲主要有黄背岭—石宝沟背斜、三岔口南—东鱼库向斜、风脉庙背斜等。

杜关向斜：为一近东西向的宽缓褶皱，其核部为杜关组、冯家湾组，两翼为巡检司组、龙家园组和高山河组。

二、断裂

研究区断裂以近东西向—北西西向为主，北东—北北东向次之，其他方向断裂不发育。

(一)近东西向—北西西向断裂

该断裂带分布广泛，成组成群出现，规模宏伟，活动时间长，具多期活动性质。

潘河—马超营断裂带：为一区域大断裂带。总体走向东西，多北倾，倾角 50º～80º。断裂呈带状组合分布，带宽 3～5 km，有三个由 3～5 条大致平行的断裂束组成。控制着华熊台隆和卢氏—栾川台缘褶皱带的差异运动，北侧持续上升隆起，南侧相对沉降，并接受了巨厚的栾川群和陶湾群沉积，形成了平面上地层南新北老的分布格局。断裂活动由中晚元古代一直持续到喜马拉雅期；长时期构造活动和多期热液活动叠加，断裂带蚀变发育，贵金属、多金属矿化强烈。

黑沟—栾川断裂：位于研究区的南部陶湾、栾川县城一带，为华北陆块与秦岭褶皱系的分界线。总体走向 290º～300º，倾向北北东，倾角 60º～80º，沿走向和倾向均呈疏缓波状；沿走向呈规模巨大的挤压片理化带和构造角砾岩带。断裂带一般宽 20～40 m，最宽 100 余 m。带内有不同时期的正长斑岩、花岗斑岩侵入。断裂具多期性活动特点，总体表现为压–张–压扭不同力学性质变化。

(二)北东—北北东向断裂

该组断裂带区内比较发育，成群、成带密集分布，如夜长坪—银家沟断裂带、八宝山—后瑶峪断裂带、石宝沟—庄科断裂带、黄背岭—南泥湖断裂带、芦峪沟—三川—老庙沟断裂带，走向 20º～70º，倾向北西或南东，倾角 50º～80º，宽数米至百余米不等，均为逆–平移断层，呈压扭性特征。沿断裂热液活动强烈，金属硫化物矿化蚀变较强；主要有金、银、铅、锌、铜等矿化。

第三节 岩浆活动

研究区内岩浆活动频繁，自太古宙、元古代到中生代都有表现，具有多旋回、多期性特征。太古宙岩浆活动表现为中基性–中酸性的火山喷发及 TTG 岩系的侵入。元古代熊耳期表现为中基性的火山喷发，汝阳—兴凯期表现为碱性火山岩的喷发(栾川群大红口组)和基性岩侵入(辉长岩)。加里东期岩浆活动表现为碱性花岗岩岩基(如龙王幢)和碱性脉岩的侵入，燕山期岩浆活动强烈而广泛，形成花岗岩岩基(如合峪岩体)和花岗斑岩体。与研究区的钼、钨、金、银、铜、铅、锌等内生矿产具有密切的成生关系。

一、中元古代熊耳期侵入活动

熊耳期侵入活动在研究区表现较弱，形成诸如蒲池一带的中基性岩脉(墙)群。岩石类型包括辉长岩、辉长–辉绿岩、闪长岩类等。这些岩脉多受北东和东西向断裂控制，沿断裂贯入，一般规模较小，宽数米至数十米，东部蒲池一带的闪长岩脉(体)规模最大，出露宽达数百至 2 000 余 m，延伸长数百米至数万米。据嵩县南部 1:5 万区调成果表明，该期侵入岩岩石化学特征，与熊耳群安山岩类喷发岩相同，表明它们来源于同一岩浆源。

二、古生代海西期侵入活动

海西期侵入活动在研究区表现为碱性岩浆的侵入，形成区内众多的正长岩脉（体），脉宽数米至数十米，局部可达百余米，延伸长数百米至数万米。岩石类型包括黑云正长（斑）岩、正长（斑）岩、角闪正长岩及霓辉正长岩等。

马超营断裂以南，本类岩脉十分发育，岩脉受近东西向断裂的控制，侵入于官道口群各组地层中；马超营断裂带以北之华熊台隆南缘，正长岩类脉体分布稀疏，不及南部发育，但在邻区（嵩县南部）却形成规模较大的霓辉正长岩体。

岩石化学成分与中国正长岩平均值（黎彤，1962）相比，以富 K_2O、贫 Na_2O、低 SiO_2、贫 CaO 为特征；轻稀土富集，轻重稀土明显分离；岩石的 (Sr^{87} / Sr^{86}) =0.706 7，初始值比较低。属碱性岩石系列（A 型花岗岩）。

区内碱性岩侵入于中元古界熊耳群和官道口群之中，而本身又被燕山期花岗岩脉侵入，其 Rb～Sr 等时年龄值为 318 百万年，应属海西期。

三、燕山期合峪岩体

合峪岩体位于栾川合峪—嵩县车村一带，平面呈东西向椭圆形，为三次侵入构成的复式岩基。

含斑等粒黑云母二长花岗岩（γ_5^{3-2a}）：具中粗粒花岗结构，块状构造。斑晶主要为正长石、条纹长石，含量 1%～5%。基质主要由条纹长石、斜长石、石英、黑云母组成，并含有微量的磷灰石、榍石、磁铁矿等副矿物。

巨斑状黑云二长花岗岩（γ_5^{3-2b}）：环带状分布于 γ_5^{3-2a} 外围，岩石特点与 γ_5^{3-2a} 基本相同，但钾长石斑晶明显增多，含量在 8×10^{-2}～15×10^{-2}。

聚斑状黑云二长花岗岩（γ_5^{3-2c}）：分布在岩体边缘，具杂斑似斑状结构，块状及斑杂状构造。斑晶基本类同于 γ_5^{3-2b} 巨斑岩石，其斑晶在岩石中分布不均匀，呈聚合体出现，含量在 20×10^{-2}～40×10^{-2}。基质具中粗粒花岗结构，黑云母含量略有增高。副矿物为磁铁矿、磷灰石。SiO_2 含量 67.70×10^{-2}～74.70×10^{-2}，平均 70.50×10^{-2}，Al_2O_3 含量 12.27×10^{-2}～15.20×10^{-2}，平均 14.04×10^{-2}，Na_2O+K_2O 含量 7.90×10^{-2}～9.40×10^{-2}，平均 8.44×10^{-2}，Na_2O / K_2O 比值 0.58～1.35。按 CIPW 值计算标准矿物，石英（Q）17.93×10^{-2}～33.93×10^{-2}，钾长石（Or）18.93×10^{-2}～29.34×10^{-2}，斜长石（Ab）28.43×10^{-2}～46.52×10^{-2}。据前人从岩体标型副矿物特征、岩石地球化学特征、稳定同位素组成、稀土元素组成等方面研究结果，属中深侵位的壳幔质重熔花岗岩类。

四、燕山期中酸性小岩体

主要侵入于栾川台缘褶皱带中，形成黄背岭、石宝沟、南泥湖、火神庙、上房、鱼库、大坪等十余个小岩体。地表出露形态呈椭圆状、不规则状，一般长 0.17～10 km，宽 0.04～0.44 km，面积 0.03～0.4 km²，总体以小岩株、岩筒的形式产出。岩体为复式岩体，由 2～3 次侵入岩组成。岩性为：①中—细粒斑状黑云二长花岗岩（如南泥湖、石宝沟），呈浅肉红-肉红色，似斑状结构，基质具中细粒花岗结构，块状构造，斑晶主要为微纹长石、石英，次为斜长石，基质主要成分与斑晶相同，但斜长石、黑云母含量增加，副矿物磷灰岩、锆石、褐帘石、白钨矿、独居石、榍石等；②花岗斑岩（如上房、鱼库），呈肉红色、斑状结构，基质显微花岗结构、霏细结构，块状构造，斑晶为微斜长石、石英、斜长石，含量 $10 \times 10^{-2} \sim 20 \times 10^{-2}$，基质主要由钾长石、石英、斜长石组成，副矿物有磷灰石、磁铁矿、榍石、锆石、金红石等。

岩石化学成分总的特点是高硅、富碱、高钾，其 SiO_2 含量为 $71.01 \times 10^{-2} \sim 76.33 \times 10^{-2}$，$Na_2O + K_2O$ 总量为 $8.26 \times 10^{-2} \sim 9.36 \times 10^{-2}$，$K_2O / Na_2O$ 比值 $1.06 \sim 3.75$，按 CIPW 值计算的标准矿物：石英(Q) $23.37 \times 10^{-2} \sim 38.25 \times 10^{-2}$，钾长石(Or) $27.18 \times 10^{-2} \sim 38.83 \times 10^{-2}$，钠长石(Ab)为 $14.81 \times 10^{-2} \sim 36.72 \times 10^{-2}$。研究区小岩体中 SiO_2、$K_2O + Na_2O$、K_2O / Na_2O 值与中国（黎彤，1964）同类岩石的平均含量相比偏高，前人从岩体地质及岩石化学特征、稳定同位素及其产出地质背景等方面的研究结果认为，其成因类型属壳幔同熔型花岗岩类。

第四节　区域地球物理特征

据豫西地区 1:5 万航磁成果，研究区位于华北陆块南缘波动杂乱磁场区；它反映了华北陆块南部熊耳山—外方山地区和卢氏—栾川台缘褶皱带的火山岩与岩浆活动的状况。卢氏—栾川台缘褶皱带和熊耳山—外方山地区均有三个具不同特征的磁场区。

一、卢氏—栾川台缘褶皱带磁场特征

(一)包头寨—牛心垛平静磁场区

磁场区西起包头寨，东至牛心垛，长约 33 km，宽约 13 km，面积约 400 km²。磁场呈北西向展布，与区域构造线方向一致。磁性变化 ±50 γ；多以正值出现，有少数负值。曲线圆滑、规整，基本无跳动；仅在上房—黄背岭—竹沟一带出现低缓正磁场。区内岩性主要为无磁-微磁的沉积变质岩。蚀变岩石和辉长岩磁性变化比较大，一般为微磁-弱磁性，少数因磁铁矿化而具较强磁性。花岗岩一般具弱磁性，但由于接触变质作用，常形成强度不一的局部孤立异常。平静磁场区的平静磁场背景，是区内无磁-微磁沉积变质岩层的反映。区内 6 个局部异常一般强度较低，ΔT 多为 $100 \sim 600$ γ，面积较小，主要是与中酸性小岩体有关的矽卡岩铁矿、热液铁矿、多金属矿化等所引起。

(二)大红口—大倒灰沟升高磁场区

该磁场区位于平静磁场区南部，西起大红沟，东至石灰窑沟，东西长 25 km，南北宽 3 km，面积 45 km²，呈北西西向带状展布。ΔT 在中部强大，向东、西两端逐渐减小，高峰异常 ΔT 一般为 500 γ，最高可达 800 γ。ΔT 曲线光滑，中间宽缓，边部较陡，北陡南缓。该区地层主要为栾川群大红口组、鱼库组及秋木沟组变质岩系。升高磁场主体异常是正长斑岩、粗面岩磁性的反映。

(三)马超营—重渡正负交变磁场区

该航磁异常，由十余个与区域构造线方向一致的串珠状排列的小异常组成，ΔT 强度 $300 \sim 600$ γ，呈双峰状，北西侧伴生负异常，向东南逐渐变宽进入负磁场区；是火山岩区域变质、断裂构造、热液活动的综合反映。

以上三个磁场区，是卢氏—栾川台缘褶皱带东段的主要航磁异常。据异常特征，三川—栾川一带区域背景正磁场都接近 200 γ。这个共同的区域背景磁场，可能是深部隐伏岩体引起的。越来越多的资料表明，这一带可能存在一个隐伏花岗岩基。

二、熊耳山—外方山地区磁场特征

(一)火神庙—焦园杂乱磁场区

曲线跳跃剧烈，正负交替，峰形尖锐，异常不连续，为典型的火山岩区磁场特征。该区主要出露熊耳群火山岩和少量高山河组、官道口群沉积岩。区内断裂十分发育。两个主要航磁异常与研究区的热液活动和多金属矿化具有密切关系。

(二)旧县—大章负磁场区

该航磁异常呈北东东向狭长带状，东至嵩县，西至潭头，长 40 km，宽 0.5～10 km，面积约 150 km²。磁场以负值为主要特征，强度–200～300 γ。区内主要是第三系和第四系沉积物，一般无磁–弱磁。该异常是盆地沉积地层的反映。

(三)木植街—粟子坪杂乱磁场区

西起大章乡东湾，东到吕屯；北至粟子坪、杨村一带，南抵太山庙花岗岩基，东西长约 26 km，南北宽约 23 km，面积约 600 km²，长轴方向与区域构造线方向一致。该磁场区共有 8 个局部异常，以太山庙花岗岩基负磁场为中心形成一环形异常带。异常强度较大，$\Delta T_{max}=$ 1 500 nT、$\Delta T_{min}=$450 nT。研究区南部为燕山期花岗岩，其余大部分为熊耳群火山岩。

第五节 区域地球化学特征

总体上看，研究区内分布有两个地球化学场，即熊耳山—外方山金、银、铅、锌、钼、钨地球化学场和卢氏—栾川褶皱带钼、钨、铅、锌、银、金等多金属地球化学场。

一、熊耳山—外方山金银铅锌钼钨地球化学异常带

该异常带分布在洛河与伊河之间，总面积约 2 160 km²，异常元素组合复杂，有 Au、Mo、Ag、Pb、Bi、W、Ba、F、Cu、Sn、Hg、Zn、Sb、Cd、As 等，其中以 Au、Mo、Ag 异常和 Pb、Zn 异常面积最大，强度最高，分别形成 Au、Mo、Ag 和 Pb、Zn 的浓集中心，已发现金、银、铅、钼、钨大中型矿床多处，矿点近百处，是华北陆块南缘的又一个金矿集区。

二、卢氏—栾川钼钨铅锌银金地球化学异常带

在北起马超营断裂，南至栾川断裂的狭长带状范围内，广泛发育 Mo、Ag、Pb、Zn、Au、W、Cu、Mn 等元素异常。沿马超营断裂带，形成 Au、Ag、Pb、Zn、Mo、Bi 多元素的综合异常带，Ag、Pb、Zn 元素异常套合较好。沿断裂已发现了众多金矿床(点)。卢氏—栾川地区广泛发育银多金属异常，异常受控于燕山期浅成相酸性斑岩体。不同类型的岩体与岩体的不同部位分别形成钼、钨、银、铅锌、铁、铜、锌、硫、金矿等，构成一个完整的成矿系列。在栾川赤土店地区 Ag、Mo 元素异常的分布较为一致，主要受控于燕山期斑状花岗岩体。Pb、Zn 异常范围大于 Ag 异常，Ag、Pb、Zn 异常受斑状花岗岩体和元古界地层的双重控制。

1：5 万水系沉积物测量在三川—赤土店圈定了一个规模大、元素分带明显、形态完整的区域地球化学异常区。

该类异常以南泥湖钼钨矿田为中心，呈北西向拉长的椭圆形，长 40 km，宽约 20 km。异常区明显具有水平环状分带特征，从异常区中心向外，元素组合依次为 Mo–W–Bi–Cu–Zn–Pb–Ag–As–Ba–Ge，是一个由高温到低温元素的完整序列。

从元素组合看，整个异常区可分为中心带、中间带和边部带。中心带为高温的 W–Mo–(Bi)–Cu–(Pb)–(Ag) 组合；中间带为中温的 (W)–Mo–Cu–Zn–Pb–Ag–As 组合和中低温的 (Mo)–(Cu)–Zn–Pb–Ag–As–(Ba) 组合；边部带为低温的 (Zn)–(Pb)–(Ag)–As–Ba、Ge 组合。

据 1∶20 万水系沉积物异常图，卢氏地区围绕燕山期中酸性小岩体均发育以钼、铜、铅、锌、金、银等为主的水系沉积物异常，如围绕后瑶峪—柳关、银家沟、蒲阵沟、夜长坪、八宝山—曲里等岩体，分别发育有 124–乙$_1$、118–甲$_2$、115–乙$_1$、182–甲$_1$、191–乙$_1$ 等异常。异常的规模较大、强度高、元素组合复杂、元素分带和浓集分带清晰，元素套合性好，经后瑶峪、曲里等矿床初步勘探证实，异常为矿致异常。因此，水系沉积物异常为该区进一步找矿提供了丰富的信息。

三、各元素在不同地质单元中的分布有一定的差异

太华群中，镍、钒的浓度克拉克值稍大于 1，镓的浓度克拉克值接近 1，其余元素均较低。

在熊耳群地层中，许山组中钴、镍、钒、磷的浓度克拉克值大于 1，其余元素不富集；鸡蛋坪组各元素的浓度克拉克值均小于 0.80；马家河组铬、镍、钒、磷的浓度克拉克值大于 1，锌、钴接近 1，其余元素趋于分散。

高山河组中只有镍、钡的浓度克拉克值接近 1，其余元素均小于 0.8。

官道口群龙家园组、巡检司组、杜关组各元素的浓度克拉克值均小于 0.8。冯家湾组除铅的浓度克拉克值为 1.9 外，其余均小于 0.6；而白术沟组中微量元素的丰度普遍较高，钼、铅、镍、钒、磷的浓度克拉克值大于 2，其中钼最高可达 12.64，故白术沟地层是钼元素的富集层。

栾川群中，除铅、锌在大红口组、南泥湖组、三川组中大于 1 外，其他元素均小于 1，铜、铋、铬、镍、钴、钒、钛等元素含量较其他地层明显偏低。

第六节　遥感地质特征

遥感图像解译表明，研究区除有 NW 向、NE 向线性构造外，尚存在两个比较清晰的环形构造，一个位于白土三门，环形特征比较明显，面积 2 km^2，为隐伏花岗岩体所引起；另一个位于栾川大清沟一带，环形影像独特，具四个清晰的环带，总体呈北东向，长约 5 km，最宽 3 km，面积约 10 km^2。围绕该环形构造，花岗岩脉呈环状分布；有两个同心大环，内环以花岗斑岩脉为主构成，外环则以石英脉为主。推断该环形构造应为一隐伏花岗岩体所引起。在两个环形构造区内，硅化、黄铁矿化、黄铜矿化等蚀变发育；环形构造外部，铅、锌、银矿化普遍，形成矿化水平分带，推测隐伏岩体距离地表较近。

第七节　区域矿产分布及成矿规律

一、区域矿产分布

研究区位于华北陆块南缘华熊台隆区洛南—栾川台缘褶皱带，主要有卢氏—栾川和马超营两个重要的多金属成矿带。区内构造十分发育，北有马超营大断裂，南有黑沟—栾川大断

裂，中有一系列的近东西向和北(北)东向构造，提供了良好的矿液运移和储存场所。岩浆活动十分强烈，出露有老君山、合峪、太山庙等燕山期花岗岩基和众多的中酸性小岩体，同时还发现多处隐伏岩体。重砂异常及化探异常范围大、强度高，浓集中心明显。铅、锌、银、金矿(化)点星罗棋布，成矿地质条件极为优越。区内主要金属矿产有钼、钨、金、银、铅、锌、铁等，此外还有硫铁矿、石煤、白云岩、花岗石材等非金属矿产。

钼(钨)矿：是研究区最主要的矿产之一，主要分布于卢氏—栾川多金属成矿带，其中南泥湖钼矿田探明储量百万吨，是我国乃至世界主要钼矿产地之一。矿床类型为斑岩型和矽卡岩型两种，矿床勘探与研究表明，成矿与燕山期中酸性小岩体有密切的成生关系。

铅锌银矿：广泛分布于上述两个多金属成矿区带。卢氏—栾川多金属成矿带中的铅锌银矿(化)点主要围绕燕山期中酸性小岩体的外围分布，古采硐亦较多，但因处于钼矿床外围，在以往地质找矿中从未列入主要工作对象，研究程度较低，没有较系统的地质资料，前人认为研究区铅锌银矿以热液充填(交代)型为主，主要赋存于白云石大理岩地层中的次级断裂带中，矿石矿物主要为黄铁矿、方铅矿、闪锌矿、自然银、黄铜矿，脉石矿物有石英、白云石、方解石等，铅、锌品位多在 $5 \times 10^{-2} \sim 30 \times 10^{-2}$，银品位多在 $50 \times 10^{-6} \sim 325 \times 10^{-6}$，成矿可能与燕山期中酸性小岩体有关。近几年大调查工作已发现层控型矿床的重要线索，马超营多金属成矿带中的铅锌银矿(化)点主要沿马超营大断裂带分布，赋存于官道口群龙家园组大理岩中的次级断裂带中，矿体一般呈似层状、脉状、透镜状，矿石类型为多金属矿化蚀变构造岩型，矿石矿物以方铅矿、黄铁矿为主，其次有黄铜矿、闪锌矿、自然银等，脉石矿物有石英、方解石、绢云母等，蚀变有硅化、绢英岩化、黄铁绢英岩化、碳酸盐化等，铅锌品位 $1.0 \times 10^{-2} \sim 35 \times 10^{-2}$，银品位 $50 \times 10^{-6} \sim 1\,732 \times 10^{-6}$。矿床成因观点有：①层控改造型多金属矿床；②岩浆热液型多金属矿床；③与碳酸盐岩-碎屑岩系有关的铅锌矿床。工作区外围外方山多金属成矿区带中的铅锌银矿(化)点主要分布于太华杂岩及熊耳群地层中的次级断裂带中，矿石矿物主要为黄铁矿、方铅矿、黄铜矿，次要为自然银、自然金，脉石矿物有石英、白云石、方解石、绢云母等，围岩蚀变有硅化、黄铁绢云岩化、碳酸盐化等，铅锌品位 $1.0 \times 10^{-2} \sim 17 \times 10^{-2}$，银品位 $50 \sim 800 \,\mathrm{g/t}$，矿化类型有银矿石、银金矿石、金矿石、银铅矿石等，矿床成因可能属与燕山期花岗岩岩基侵入有关的岩浆热液型矿床、与熊耳期古火山喷发有关的低温热液型矿床。

金矿床：主要分布于熊耳山和外方山多金属成矿带。已发现康山、红庄、潭头、庙岭、纸房、前河等大中小型金矿床十余处，矿化主要产于太华杂岩及熊耳群次级断裂带中。矿体多呈似层状、透镜状、脉状，矿石类型为构造蚀变岩型金矿，金属矿物有黄铁矿、黄铜矿、自然金等，脉石矿物有石英、方解石、绢云母等，围岩蚀变有硅化、绢云母化、高岭土化、黄铁矿化等，勘探与科研成果表明，矿床类型属构造蚀变岩型金矿床。工作区内卢氏—栾川多金属成矿带目前发现的金矿较少，且多为小型矿床及矿点，代表型的有核桃岔、西沟、矫顶山等金矿床，矿体多呈透镜状、脉状，矿石类型为构造蚀变岩型和黄铁矿化云母(石英)片岩型，矿石矿物有黄铁矿、黄铜矿、毒砂、自然金等，脉石矿物有石英、方解石、绢云母等，围岩蚀变有硅化、碳酸盐化、高岭土化等，矿床类型除有蚀变构造岩型金矿外，可能有层控型金矿床(如西沟)。

硫铁矿：主要分布于三川—栾川多金属矿成矿带钼矿田的外围，已知矿床(点)8 处，其中以骆驼山硫铁矿规模最大，为中型矿床，多为矽卡岩型及高中温热液型，与燕山中期酸性小岩体关系密切。

铁矿：已知铁矿点十余处，可分为矽卡岩型、热液脉型和沉积变质型三种成因类型，因认为工业意义不大，未做详细工作。

二、成矿规律

区内铅锌银矿(化)点的空间分布与燕山期中酸性小岩体、岩脉有密切关系，即每个小岩体或小岩体群构成一个成矿中心或成矿远景地段。围绕燕山期中酸性小岩体，矿化多具水平分布分带现象，自岩体向外，矿化类型表现为由钼钨矿化→硫铁矿化→铅锌银矿化→金矿化，反映由高温到低温特点，为典型的与岩浆热液有关的成矿(矿床)系列。

如栾川鱼库评价区多数小岩体较集中地分布于三川—栾川陷褶断带弧形转折部位的南泥湖、上房、黄背岭、石宝沟一带，故而该转折部位便成为三川—栾川多金属成矿区的中心(南泥湖钼矿田)。围绕该中心如杨树凹、白砂洞、百炉沟、银洞沟、洪洞沟、核桃岔和冷水北沟等中低温脉状铅锌矿呈环带状分布，构成一个巨大的铅锌银成矿区。

铅锌银矿床(点)受地层和围岩控制明显：①层位控矿。官道口群龙家园组、冯家湾组，栾川群煤窑沟组、南泥湖组。②岩性控矿。矿床围岩为碳酸盐建造时矿化强、规模大、矿化集中，而页岩、炭质千枚岩、板岩中矿化极差，基本未见矿床。

铅锌银矿的分布受断裂构造带的控制，研究区铅锌银矿床除矽卡岩型外，大多数受断裂控制，像石英脉型、构造蚀变岩型矿床直接赋存于断裂构造中。因此说，断裂构造不仅是铅锌银成矿物质的通道，而且也是储矿场所。

综上所述，研究区多金属矿床的主要找矿标志如下：

(1)燕山期花岗岩体(包括岩基、小岩体)、岩脉周围的矿脉密集地带；包括隐伏、半隐伏花岗岩体附近的环形构造发育地带。

(2)沿构造带发育的与内生多金属矿床有关的碳酸盐化、硅化、绢云母化、绿泥石化等围岩蚀变带。

(3)碳酸盐岩-碎屑岩建造，如官道口群龙家园组、煤窑沟组和南泥湖组。

(4)化探异常、重砂异常；如水系沉积物异常、断裂原生晕异常、单元素异常等间接找矿标志。

(5)多金属矿床露头在表生地质作用下的次生标志，如铁锰帽、白铅矿、氧化锌、孔雀石等金属氧化物。

(6)矿化标志是直接的找矿标志。研究区出露地层主要有太古界太华岩群，中元古界长城系熊耳群、蓟县系官道口群，其次为新生界沉积。

第三章 马超营断裂带构造特征

熊耳山南麓纵贯东西的马超营大断裂，对华北陆块南缘地壳发展演化以及地层沉积。岩浆活动、构造变形、变质作用和成矿作用，长期起着控制作用。因此，对马超营断裂构造带特征及演化规律的深入研究不仅有助于阐明华北陆块南缘与秦岭地槽间早期地壳运动的性质及特点，而且更为重要的是对揭示该区金的成矿和富集规律有着极其重要的意义。

通过对马超营断裂构造带的专门研究(典型剖面观察和关键点的构造解剖及室内测试与分析相结合)认为，该构造带性质颇为复杂，它是一个长期发展演化的构造变形变质综合体，包括了不同构造时期在不同的深度层次下所形成的不同规模、不同性质和不同级别的韧性剪切变形(变质)带与脆性断裂破碎带。它们多期叠加复合，形成多期的动力变质作用和碱性岩脉(墙)的贯入。它们以不同规模和不同类型的糜棱岩带、脆性碎裂岩带、岩脉以及直接由断层和不同岩层、岩块的拼接等多种形式表现出来。总之，它是一个多层次、多类型、多尺度和多期次的具有复杂多样构造组合的变形变质带(见图3-1)。概括起来主要有裂陷、压缩、伸展滑脱、逆冲推覆与断块等先后五期形成的韧性－韧脆性和脆性两大断层系统，并控制了该区(带)以金为主的内生金属矿产的分布。

第一节 马超营断裂带构造特征

马超营断裂构造的形成、发展及演化，自元古代以来，至少经历了 3~5 次大规模的构造活动，其构造应力作用状态基本形式主要表现为"开"与"合"或挤压与引张有规律的交替进行。其中以海西—印支期从隆起区向外侧发生一系列(由南向北)的伸展滑脱拆离构造作用，和燕山期由北向南的逆冲推覆构造作用表现最为突出，其规模巨大、结构复杂、表现强烈。

一、马超营断裂带伸展滑脱构造特征

马杏垣教授指出："伸展构造发育于岩石圈演化的所有阶段和广泛不同的构造环境，"并强调：引张作用不仅造就了全球范围的构造现象，而且其规模甚至比挤压构造变动还要大。在大陆范围内，引张作用不仅产生区域性和局部性裂陷，而且在地壳较深构造层次上，还表现为地壳或地壳下的韧性流动带。

目前，人们在应用当代地质构造新理论和新方法从事矿产预测的工作中，越来越注意大陆板块内部伸展构造，特别是对滑脱拆离构造的研究已获得卓有成效的进展。

在熊耳山南缘。通过本次大量的野外调查，结合区内 1:5 万区调成果，综合研究结果表明，区内马超营断裂带在海西—印支期发生大规模的伸展滑脱构造叠加活动，形成规模巨大的马超营伸展滑脱断裂构造(见图3-2、图3-3)。

按照 R.H.Sibson(1977)的断层双层结构模式，并结合 Ramsay(1980)的三类剪切带特征，把马超营断裂该期伸展作用所产生的各类不同形态、性质和变形机制的断层形迹，按其各自特征所反映的形成深度层次分为以下三类。

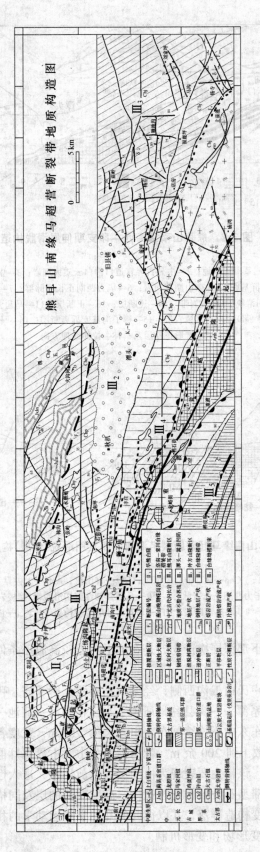

图 3-1 熊耳山南缘马超营断裂带地质构造图

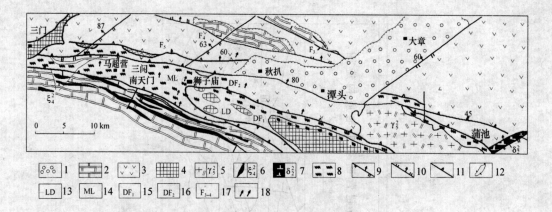

图 3-2　熊耳山南缘海西—印支期伸展滑脱构造

1—上白垩统—下第三系山间盆地；2—中元古界官道口群白云质大理岩；3—中元古界熊耳群火山岩；
4—太古界太华岩群基底；5—燕山期花岗岩；6—华力西期正长岩脉群；7—中元古代闪长岩；
8—马超营韧性剪切滑脱带（糜棱岩带）；9—逆冲层；10—正断层；11—马超营滑脱拆离剪切带；
12、13—变质核杂岩体（带）；14—糜棱岩带；15—狮子沟基底拆离断层；16—马超营伸展滑脱构造带；
17—铲形正断层系；18—拉伸线理方向

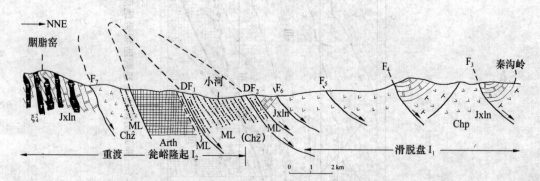

图 3-3　熊耳山南缘马超营断裂带海西—印支期滑脱（伸展）构造地质剖面图

Jxln—蓟县系官道口群；　Chp—熊耳群马家河组；Chẑ—许山组；Arth—太古界太华岩群（变质杂岩）；
ξ²₄—华力西期正长岩脉群；ML—马超营韧性剪切滑脱带（糜棱岩带）；
DF₁—狮子沟基底拆离断层；DF₂—马超营伸展滑脱构造带；F₃₋₆—铲形正断层

(一)顺层韧性剪切带

它是马超营断裂带下部深层次产物，是在地下深处较高温压条件下形成的线性高温应变带。

该带主体部分西起卢氏白玉沟西侧，经栾川马超营、狮子庙、鸭石沟向东被合峪花岗岩体（γ³₅）侵吞，或被第三系潭头—嵩县盆地所覆盖，仅在前河—蒲池一线才有出露，表现为西宽东窄，呈北西西—南东东向不连续展布。出露长约 70 km，宽度各处表现不一，西半部宽达 1~4 km，而东部仅数十到 200 余 m。带内主要为中元古界熊耳群火山岩系，岩石普遍发生塑性流变和构造置换。该带主要表现为由顺层韧性剪切带，透入性顺层连续劈理化带或片理化带、拉伸线理、黏滞型石香肠构造透镜体、高度变薄的层及同构造结晶变形脉等。它们共同组成了一个塑性流变构造群落，并以彼此的几何学和运动学的相关性共同反映了分划性顺层韧性剪切带的构造变形场和变形机制。

顺层韧剪切带是地壳在较深构造层次伸展构造的主要表现形式。它是一种透入而不均匀的韧性剪切带，受原岩性质、厚度及其组合特征的制约，构成了不同尺度多级组合的顺层韧性剪切带系统，并控制剪切褶皱的发育。根据本区顺层韧性剪切带的研究，将其基本特征归纳如下：

(1)空间上，这一狭长的韧性剪切带，在变形方面并非均一，纵向上呈线状断续展布，横向上强弱相间分布，由若干条(3～5条)强变形带和弱变形带相间构成。强变形带一般宽几米至几百米，长几百米至几千米，通常呈扁豆状、透镜状或不连续的右行斜列状产出。强变形带与弱变形带渐变过渡，带内未变形岩石基本保留了原岩的外貌，其原岩组构清晰。强变形带岩石主要由糜棱岩、千糜岩及超糜棱岩岩石组成；弱变形带由初糜棱岩及糜棱岩化岩石组成。

(2)该韧性剪切带在后来的地壳抬升剥蚀等地质作用过程中无明显的叠加变形，总体表现为一次性活动的韧性剪切带，即伸展滑脱型顺层韧性剪切带的特征。

(3)据韧性剪切带内发育的矿物拉伸线理、香肠状石英脉透镜体、不对称褶皱和S-C组构及旋转变形中的各类不对称构造、变形杏仁等运动学标志判断，本区韧性剪切带的运动方向为上层相对于下层作正向剪切运动，即由南向北伸展滑脱的正断型剪切。

(4)构造岩中的塑性变形作用明显，石英主要表现为波状消光、变形纹、变形带、亚晶、核幔构造及拉长条带(丝带状石英等)，长石以脆性破裂为主，有时可见长石的分解作用。

(5)韧性剪切带在区域地球化学方面也有明显反映，带内相对富集Au等，而亏损Pb、Zn、Ag、Cu等成矿元素。

(6)该带不仅在地貌、地质、地球化学上有较明显的特征，在航磁上也有明显的反映，沿韧性剪切带线性异常明显。

(二)韧-脆性剪切带

该带发育于韧性剪切带上盘，它是上部脆性和下部韧性变形体之间的一种过渡类型剪切带。该带在区内西起卢氏三门，向东经栾川马超营、嵩县前河、店房、蒲池，延出区外，即区域以往所称马超营—潘河—石门主干断裂在区内的一段，东西长达75 km。

该带主要表现为受后期逆冲推覆和挽近时期脆性叠加改造的断层角砾岩带和断层破碎带，如从栾川铁岭—狮子庙，以平均宽约300 m的脆性断层碎裂岩带出现，地貌上形成线性负地形。所以使该期断裂活动形迹保存不全，不过经过分析，筛除上述晚期脆性断层的叠加影响，仍可恢复其历史面貌。在马超营主干断裂南部边界地质体中，广泛发育疏密不等的具韧脆性过渡特征的各类糜棱岩化带，它正是马超营断裂带该期的韧-脆性伸展滑脱剪切带的残留部分，是分割下盘(南侧)糜棱岩带(顺层韧性剪切带)的主界面。通过系统研究，归纳其特征如下：

(1)断层带总体走向北西西(270°～300°)，北倾，为一被改造了的由多条断裂(3～5条)组成的宽数十米到数百米甚至上千米的复杂伸展滑脱拆离断层带，断层规模大，造成上盘(熊耳群)岩石减薄或局部缺失，断层带多期活动明显，属长期演化的活动剪切带。

(2)断层带上下盘岩石的变形行为有显著的差别。从下至上，韧性变形递减，脆性变形递增。下盘以糜棱岩化岩石为代表的韧性流变为特征，具有较强的拉伸剪切变形，火山岩中的杏仁、火山弹、石泡等被拉伸剪切后其轴为$X:Z$一般为5:1～10:1，个别地段被拉伸呈层状(见图3-4)。流劈理面上矿物拉伸线理也普遍可见，平行流劈理的剪切石英脉也广泛发育。岩石均表现为韧性变形，显示出不同程度的糜棱岩化，普遍发生横向构造置换。该断层上盘岩石以韧脆性、脆性变形为主，岩石外貌整个细粒化，夹有软化基质条纹条带，具流动构造。镜下可见长石以脆性碎裂化为主，机械研磨细粒化，或呈变余残斑状。石英则多已韧性变形，发育波状消光。断层中最上部岩石糜棱岩化不明显，发育下滑型脆性剪切，形成碎裂岩带。

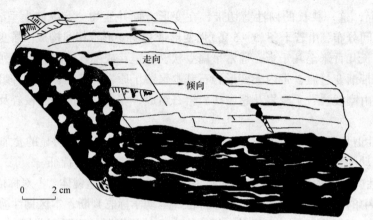

图 3-4　嵩县木植街下蒲池村北 200 m 处公路旁拆离断层带
中杏仁体所形成的拉伸线理构造素描图

(3)发育滑脱断块和构造窗。滑脱拆离断带经伸展拆离造成地层减薄之后，剥蚀作用进一步造成下盘(熊耳群)地层上孤零地分布着上覆官道口群断块，这在区内西自卢氏西康岭，东至狮子庙红庄，沿断层带，在东西长达 30 km 地段内断续出露。相应地，在上盘熊耳群中出露由拆离断层所圈闭的基底地层(太华岩群)则称为构造窗，在白土、王练沟口均有出露。

(4)断层带上下盘岩石在变质程度上有所差异，上盘(北侧)为低绿片岩相绢云母-钠长石带，而下盘(南侧)为绿片岩相黑云母带。

(5)该带具明显的叠加改造特征。经历了韧脆性、脆性改造作用，各种糜棱岩化岩石及碎裂岩发育，后期脆性构造叠加常形成角砾岩和断层泥，对矿体有一定破坏作用。

(6)该断层在后期地壳的水平压缩作用过程中，已发生了强烈的改造变形，断层面弯曲，其倾角发生变化，而不再保持初始的低角度位态，局部变成直立甚至倒转。如下蒲池一带断面向南陡倾。

(7)该断层带具有独特的区域地球化学特征，带内强富集 Au、Ag、Pb、Zn 等成矿元素，在本次 1∶10 万原生晕地球化学图上表现为清晰的异常带。

(8)该带航磁异常密集，呈北西西向的串珠状而区别于南北两侧构造带。

综上所述，该断层带为一条区域性大断层，时间上具有长期性和继承性，空间上具延伸远、深度大的特征，而且在地壳构造演化中起重要作用，也是构造单元的分界线。

该期上部脆性剪切断裂，由于受长期抬升剥蚀和后期构造叠加，其产物为断层角砾岩和碎裂带。

(三)重渡—瓮峪变质核杂岩的厘定及基底拆离断层特征

1. 重渡—瓮峪变质核杂岩的厘定

裸露于研究区南缘的重渡、鸭石、瓮峪一带的太古界太华岩群变质杂岩称之为重渡—瓮峪隆起。对于这种情况，以往常作长期风化剥露来解释。本次工作认为，目前裸露的地质体曾是埋藏于几千米甚至十几千米的深处，或者说重渡—瓮峪一带的太古界深变质杂岩之上曾有相当厚的上覆岩层存在，除了外力剥蚀作用之外，构造滑脱拆离作用是重要的因素。上覆熊耳群、官道口群盖层岩系在拆离伸展构造作用下作侧向滑移，沿先存的构造面向北滑动拆离，因而在隆起顶部基底岩石裸露，形成孤立平缓的穹状褶皱基底。区内出露面积 70 km² 左右，断续长 25～30 km，向南东主体部分延至区外。基底外缘发育以糜棱片麻岩为主体的韧性剪切带，其上是基底拆离断层等构造层。从而具有古大陆边缘变质核杂岩的特征。

2. 狮子沟基底拆离断层带特征

重渡—瓮峪变质核杂岩带外缘，尤其是北部边缘，出露宽一般 100～200 m，局部为数米至数十米的拆离断层带，它是分割基底与上覆构造层的主界面。一般拆离断层上、下盘岩石分别表现为脆性变形和韧性变形。但本区基底拆离断层(见图 3-3 DF₁)的两盘岩石则都表现为韧性变形，只是它们各自的变形变质程度有所差异。

基底拆离断层(DF₁)下盘为太古界太华岩群岩石，以透入性糜棱岩化岩石组成的韧性滑脱带为特点，滑脱带自下而上为混合岩化黑云斜长片麻岩、糜棱岩化片麻岩、糜棱片麻岩、强硅化糜棱岩等。岩石具清楚的糜棱岩所特有的流状构造和拉伸线理，为典型的 S—L 构造岩。其中石英成分占 25%～30%，石英动态重结晶程度 40%～80%，多呈石英重结晶条带与长英质糜棱条带相间组成条带状构造或与碎斑组成核幔构造，石英碎斑含量可达 10%，强烈塑性变形，压扁拉长，或呈不规则撕裂状，粒度 0.1～0.3 mm。岩石中的长石颗粒，部分呈残斑，具扭折、双晶弯曲等塑性变形标志。部分长石已分解成细粒的绢云母、钠长石、钾长石、石英等。它们是绿片岩相条件下的动力退变质的产物。

基底拆离断层上盘的长城系熊耳群火山熔岩也同样受到了强烈的韧性变形，但其重结晶程度明显低于下盘的岩石。依各地的变形强度不同而形成糜棱岩化安山岩、初糜棱岩和安山质糜棱岩等。以重渡狮子沟为例，原杏仁状安山岩遭受强烈的韧性剪切变质作用，形成黑云母安山质糜棱岩。火山岩基质形成强烈变形和新生定向的黑云母和绢云母，其中动态重结晶石英条带发育，并可见近于平行的板条状斜长石残斑。依据岩石中"δ"型碎斑判断剪切方向为由南向北滑脱正断层式剪切。

基底拆离断层切过不同上盘岩层，造成中元古界熊耳群底部大古石组不同程度的缺失，导致盖层如官道口群或熊耳群不同层位与太华岩群直接接触。

该滑脱拆离断层，由于受后期构造影响改造，使透入性的糜棱面理产状变陡，局部可达 60°～70°，一般在 45°左右。

另外，在马超营滑脱剪切带以北的水磨地、大沟河等地，发育一系列铲形正断层，地表处延长数千米至数十千米，断层面向北陡倾，沿这些高角度正断层形成大规模的官道口群白云质大理岩掀斜式断块，均表现为在该期伸展体制下产生的浅层次滑脱拆离断层。

综上所述，重渡—瓮峪变质核杂岩体、基底拆离断层及其以北的铲形正断层系，虽不属马超营断裂范畴，但它们的形成与发展均受该期伸展滑脱机制控制，是在同一构造机制下产生的滑脱拆离构造系统。

(四)滑脱拆离构造活动时代的确定

区内虽无直接年龄证据，但已有资料表明，侵入熊耳群和官道口群，并有糜棱岩化或强片理化的正长岩脉(墙)群，在测区东部与之岩性相同的磨沟岩体测得同位素年龄值为 318 Ma(Rb–Sr 法)(1∶5 万嵩县幅区域地质调查，1990)。显然，区内这些同韧性剪切期的正长岩脉的侵入时代应为海西期。从形成时期与构造运动的关系看，这些碱性岩是非造山期的伸展构造环境中形成的，它是由于地幔上隆或地壳变薄的构造条件下，深熔碱性岩浆，沿着深部剪切断裂带上侵，并在滑脱拆离断层带上定位的产物。由此可将滑脱拆离断层系的形成时代上限定为海西期。该糜棱岩带延伸至前河及狮子沟以东被燕山期合峪花岗岩体所侵噬，故韧性剪切带的形成下限应在燕山期之前，那么区内该期滑脱拆离剪切活动时代，应为海西—印支期。

二、马超营断裂带推覆构造研究

推覆构造是造山带的一种常见的构造现象。通过近年研究发现，燕山期东秦岭地区广泛发育多层次大规模的逆冲推覆构造，总的特点是华北陆块南推覆到秦岭褶皱带并逆冲到杨子地台南之上。本次工作研究表明，在熊耳山南缘均有推覆构造存在。区内叠加于先期马超营伸展滑脱断层带之上的逆冲推覆构造就是华北陆块南缘重要的推覆构造（见图 3-1）。在熊耳山南缘，发育有大规模的推覆构造已为大量调查成果所证实，特别是近年来，对东秦岭地区逆冲推覆构造的研究已引起广泛的重视。许志琴等指出北秦岭褶皱带复合山链以大型推覆构造为特征，推覆方向由北向南，推覆剪切带形成的上限时代为 350 Ma；吴正文等则认为过去确定的控制区域构造的深断裂并不存在，总体是一套巨型区域性叠瓦式逆冲推覆构造，华北陆块向南推覆到秦岭褶皱带并推覆到杨子地台之上，逆冲推覆时代为燕山期；张国伟指出在秦岭中新生代以来发育多期多条巨大的逆冲推覆构造；石铨曾认为在马超营断层与黑沟断层之间的"台缘褶皱带"内的栾川群等地层深部，至少在马超营断层以南的熊耳群下部，存在构造滑脱面；王作勋等人亦认为小秦岭及熊耳山地区的盖层构造格架形成于燕山期，它的南坡以滑脱推覆构造为特征。

总之，东秦岭地区这期大规模的推覆构造不仅发育于秦岭褶皱带，而且在华北陆块南缘也表现得相当强烈。区内沿马超营断裂的推覆构造是北秦岭推覆构造的一个片断，只有从区域构造的背景上才能弄清这一局部构造的意义。

(一)地质构造背景及逆冲推覆断层的组合形式

本区该期逆冲推覆构造强烈叠加，改造了先期滑脱拆离断层系的复杂构造格局，沿早期滑脱拆离断层形成相互平行的、不同级别、不同规模的岩块、岩片依次叠置的强烈板内构造变形。纵贯全区的马超营大断裂（F_3、F_4、F_5）及南天门断裂（F_6）等（见图 3-1），在地表均显示往北陡倾向南逆冲的性质，此两条断裂带将区内切为三个岩席，以逆冲推覆形式相叠接。在推覆岩席内除了作为推覆体出现的海西期正长岩类外，就是伴随推覆作用发生大规模的花岗岩基侵位。

区内由北往南发育的一套产状相近均向南逆冲的多条逆冲推覆断层，构成叠瓦式单冲型的逆冲断层系。在区域上，马超营、南天门等逆冲断层带位于栾川—黑沟逆冲推覆构造后缘，即推覆断裂的根带。但在本区逆冲断层系中最大滑动量的马超营主干断层位于该系后缘，即南天门断层之北，其组合形式属后缘逆冲断层系（Boyer 等，1982）（见图 3-5）。

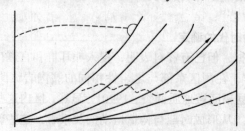

图 3-5　单冲叠瓦状冲断层系（扇）后缘逆冲断层系（扇）

(二)逆冲推覆构造特征

呈近东西向纵贯该区的马超营及南天门断层，在地表均表现为往北陡倾向南逆冲的巨大逆冲推覆断裂。野外观察结果表明，此两条断裂带将本区不同层位的地层分割为三个逆冲岩席(见图 3-6)，从地层建造、变形、变质特点等方面来看，各具特色。各个岩席之间并有相当大的位移。其特征简述如下。

1. 马超营逆冲推覆构造特征

1)马超营逆冲推覆断裂

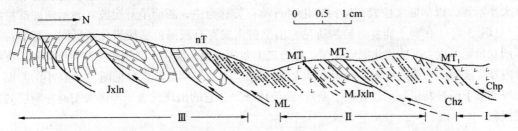

图 3-6　熊耳山南缘马超营断裂带(罗村—八里沟)推覆构造特征地质剖面图

Jxln—蓟县系官道口群；Chp—熊耳山马家河组；Chz—熊耳群许山组；M—糜棱岩化安山岩带；
ML—糜棱岩带；MT₁、MT₂、MT₃—马超营逆冲推覆断层(MT₂为主推覆断层带)；nT—南天门逆冲推覆断层；
Ⅰ—北部推覆岩席；Ⅱ—中部推覆岩席；Ⅲ—南部推覆岩席

马超营逆冲断裂束以潭头—嵩县第三系红层盆地及合峪花岗岩体为界，分为东西两段，东段从前河至蒲池以东，由 F₁、F₂组成，区内延伸 25 km；西段从卢氏三门(以南)至狮子庙车庄后被红层覆盖，长 35 km，相对东段来讲，逆冲推覆构造发育较好，自北向南至少有三条主断裂(F₁、F₂，nT)依次逆冲叠置，呈叠瓦状排列。

该期逆冲推覆叠加，改造了先期(海西—印支期)伸展滑脱构造，逆冲推覆断层是沿早期断层主滑脱面向南推覆，因而断层线地表出露形态复杂(见图 3-1)。该期逆冲断层分割了北部(华熊台隆南缘部分)与南部(南天门—小重渡)逆冲岩席。断裂带总体走向北西西 270°～300°，断面产状时有变化，总体向北陡倾，由于其波状起伏，局部倾向南或其他方向，倾角变化较大，在 40°～80°间。该期断裂活动并非为一条单一的断层，而是由多条断裂组成的断裂束。单条断裂规模有限，一般宽数十米至数百米，断裂地表形态弯转曲折，由一系列叠瓦状断裂组成一个大的主干断裂(束)。从卢氏三门到栾川狮子庙之间至少有三条主断裂(束)依次逆冲叠置，使熊耳群逆冲到官道口群之上(见图 3-7)，太华岩群断片逆冲到熊耳

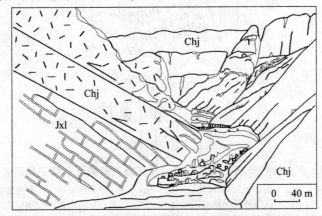

图 3-7　栾川县杨树沟逆冲推覆构造远景素描图(熊耳群逆冲推覆到官道口群之上)

群之上。断裂带本身则发育不同期次不同深度层次形成的各类构造岩，其中尤以糜棱岩化带、碎裂糜棱岩带、碎裂岩带、角砾岩带和构造透镜体带最为发育。它们彼此交错，构成一个巨大的断裂动力变质带和构造岩带。沿断裂有擦痕镜面出现，并有大量的近南北向拉伸线理及新生的绢云母、方解石、石英、黄铁矿等矿物，依矿物拉伸线理统计，明显指示自北而南的低-中角度的逆冲推覆。据镜下观察，黑云安山质糜棱岩 XZ 面的黑云母构成的 S-C 构造及"δ"型旋转碎斑系(见图 3-13)均显示左旋逆冲特征。石英颗粒粒径明显减小，并出现重结晶现象。在狮子庙红庄、石窑沟、大洞沟、前河一带，沿断裂分布大量的构造透镜体，透镜体大小不等，以早期糜棱岩，糜棱岩化岩石及石英脉为主，断面呈舒缓波状，示逆冲推覆特征(见图 3-8)。在狮子庙乡石窑沟所见，沿推覆面发育有灰褐色糜棱岩化断层泥，其中含有浑圆状角砾，成为糜棱岩化泥砾岩带，砾石之上布满擦痕，反映了强烈的逆冲研磨作用。在断带内发育该期的构造透镜体，断裂下盘为强片理化带(为早期糜棱岩)(见图 3-9)在小的断面上出现类似于逆冲断层发展过程的"断坪-断坡体系"，它的出现代表了本区大型逆冲断层的发展模型。

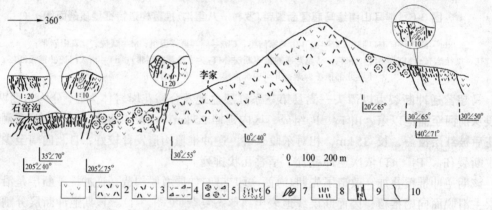

图 3-8　栾川县狮子庙乡石窑沟一栗树坟马超营断裂剖面图

1—安山岩；2—英安山岩；3—英安岩；4—片理化碎裂蚀变英安岩；5—硅化碎裂蚀变英安岩；
6—片理化安山岩；7—构造透镜体(早期糜棱岩)；8—挤压岩理化带；9—挤压破碎带；10—断层

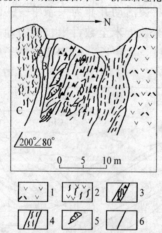

图 3-9　栾川县狮子庙乡石窑沟内马超营断裂多期活动特征断面素描图

1—英安岩；2—片理化蚀变安山岩；3—断层泥及断层泥砾岩；4—逆冲推覆挤压片理化带(为中期糜棱岩)；
5—逆冲推覆挤压片理化带(透镜体是早期糜棱岩及岩块经后期逆冲推覆所形成)；6—逆冲挤压断层面；
A—逆冲推覆活动所形成的紫灰色断层泥砾岩带；B—更晚期压性活动所形成的黄褐色泥砾岩带；C—早期糜棱岩带

由于多期活动，该断带中强烈发育不同期次所形成的不同类型糜棱岩和碎裂岩，但由于更晚期断裂的叠加破坏，早期形成的糜棱岩呈断续残存状态，若筛除更晚期叠加恢复原貌，则为一条先滑脱拆离后逆冲推覆，挽近时期再次脆性改造的糜棱岩带。分析其主要特征：根据糜棱岩动力变质矿物组合、糜棱岩中矿物变形特征和矿物拉伸线理的统计分析，表明至少有二期糜棱岩叠加复合。早期的糜棱岩显微构造具右行下滑正断层式剪切，而该期的糜棱岩显微构造显示左行逆冲剪切（见图3-10）。

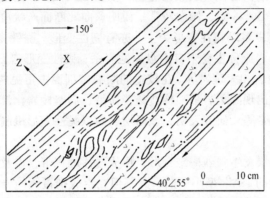

图3-10　栾川县红庄岔沟口安山质糜棱岩中由石英集合体构成的旋转碎斑系（示逆冲推覆剪切）

以上地质事实证明，马超营断裂该期自北而南的逆冲推覆碰撞造山作用，不仅强烈改造和掩盖先存构造，成为现今马超营断裂最显著的特征，而且伴随发生大规模深熔岩浆活动，形成规模巨大的燕山期合峪岩体和狮子庙等隐伏花岗岩体。

综上所述，该断裂实际上是一个经历长期演化的综合产物，是一个具有重要地质意义的复杂边界地质体。据对沿断裂带分布的构造岩、花岗岩及红层等的综合研究，该断裂至少有四期主要活动。其中燕山期突出的表现为沿早期伸展滑脱面产生巨大的自北而南的逆冲推覆活动，形成典型的脆-韧性逆冲推覆剪切带。

2）北部逆冲岩席的变形特征

该岩席（即上盘岩席）位于北部的华熊台隆南缘，主要由熊耳群厚层火山岩组成，沿前缘带零星出露有太华岩群、官道口群。该岩席相对区内整个逆冲推覆系统来讲，处于后缘地带，变形变质较弱，上盘岩石变形以脆性为主，故岩石内部保存其原生的沉积结构，基本上没有韧性变形现象，加之熊耳群又为一巨厚的火山熔岩为主的地层，所以褶皱形态也以宽褶皱为特征。仅在前锋带出现较小的歪斜平卧褶曲和一些产状平缓的叠瓦状小型冲断层。一些地方还可清楚地看到早期顺层韧性剪切带卷入小型平卧褶曲两翼，明显显示出二者的叠加关系。在前锋带的断片系统多呈菱形岩片，最大者长几千米，小者也有数十米，除由软弱岩系（如沉凝灰岩等）构成的断片内部岩层发育褶曲外，能干岩层内部几乎未发生变形。断片之间发育糜棱岩化、挤压片理化构造岩。在一些地方还可清楚地见到熊耳群流纹岩断片逆冲到官道口群大理岩之上（见图3-7）。

2. 南天门—小重渡逆冲推覆构造

1）南天门—小重渡逆冲断层（F_6）

该逆冲断层发育于马超营断裂带之南的台缘褶皱带中，为中部岩席（台缘褶皱带）和南部岩席（台缘坳褶断束）的分界。西起寺庙沟，向东经南天门、小重渡后延出区外，区内全长30余km。南天门以西断裂走向270º～280º，倾向北；以东向南偏转，走向280º～300º，倾向北北东，倾角较陡，多在 50°～80°之间。

该断裂由南天门向西基本为单条延伸，向东具分支复合之特征。断裂带呈舒缓波状，形成宽数米至百余米的挤压破碎带及挤压片理化带、糜棱岩化带。表现为以逆冲推覆为主，具有多期活动的特征。

断层的上盘主要为熊耳群火山岩和早期糜棱岩以及太华岩群基底岩系，下盘则为官道口群大理岩。断面产状在前锋部位一般倾角陡立，多在 50°～80°，而在后缘带可见小型逆冲推覆岩片，推覆断面倾角 30°～40°，倾向较乱，说明愈向北断面产状愈缓，并具波状起伏的特征。沿断裂出现的构造岩多以脆性变形为主，亦有韧性变形。脆性变形岩石主要为碎裂岩、断层角砾岩，断层角砾岩成分主要来自上盘原地岩系；韧性变形岩石可见糜棱岩化大理岩、安山岩及强片理化安山岩和大理岩等。在较宽的断裂带剖面中可见构造岩的明显分带现象，沿倾向由下到上，依次出现碎裂岩带、构造透镜体带、弱糜棱岩化带及片理化带、断层角砾和泥砾岩带、密集节理带等。研究表明，该断层域内以脆性变形机制下所形成的碎裂岩系为主，韧性变形较弱。

在推覆前缘带，地层发生强烈褶皱变形，形成强片理化带，以及倒转、平卧褶曲。在剪切带内并出现形态复杂的"A"型小褶曲，其不但在组成推覆体的岩层中出现，亦在下伏原地岩系中形成，褶皱的延伸方向指示了上盘向南逆冲的特点。在主断面附近，并发育与主断面产状一致的次级叠瓦状逆冲断层。

2）中部和南部逆冲岩席变形特征

中部岩席位于上述两逆冲推覆断层之间，主要由熊耳群和太华岩群组成，另有少量官道口群。南部岩席即位于南天门—小重渡断裂之南，主要由官道口群组成。两个逆冲岩席广泛发育往北倾斜、往南倒转的线型紧密褶皱，而且越往南这类褶皱越发育，并且出现大规模的太华岩群掩覆于熊耳群之上（见图 3-11）、熊耳群掩覆于官道口群之上（见图 3-12）的现象。从中部岩席的重渡—三门倒转背斜及由官道口群组成的南部岩席中发育一系列倒转褶皱特点分析，均显示了两个岩席之间依次往南推覆的特征。同时说明在横向上伴随的紧密褶皱使构造带有显著的压缩。从中部岩席来看，东部最大宽度为 10 余 km，而西部仅有 1～2 km，其压缩量达三分之二以上（8～10 km）。

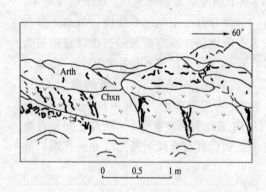

图 3-11　栾川县鸭石红椿沟太华岩群
被推覆到熊耳群之上

Arth—太华岩群；Chxn—熊耳群

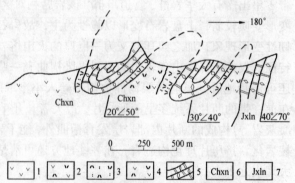

图 3-12　栾川县白土乡圪了沟东侧熊耳群被推覆到
官道口群之上的构造剖面

1—安山岩；2—英安岩；3—凝灰岩；4—英安斑岩；
5—结晶白云岩；6—熊耳群；7—官道口群

上述褶皱从特征来看均属等厚褶皱，或称"侏罗山式褶皱"。目前认为此类褶皱在深部沿一个滑脱面滑动形成。

本次工作初步查明，各岩席内部盖层熊耳群、官道口群褶皱与基底太华岩群掩褶皱形态呈显著的不协调，这在栾川北部 1：5 万区调时业已得到证实。看来在盖层褶皱下部（至少在马超营断层以南的熊耳群下部）亦存在构造滑脱面。沉积盖层在基底上滑脱变形，基底没有同时卷入变形，盖层的褶皱逆冲带可能终止于一条巨大的滑脱面上，所以产生"薄皮构造"与基底构成显著的不协调关系。

由此可见，在马超营推覆断层之南，以至于黑沟断层之北的整个华北陆块边缘部分（即台缘褶皱带），它是由一系列平行褶皱、逆冲断层、平移断层及与其伴生的滑脱面构成的一个形成于同一环境的"构造群体"。它们同属这期逆冲推覆构造的产物。

逆冲推覆构造总是与褶皱伴生，两者在成因上，在形态学、运动学和动力学以及变形强度上具有明显的统一性和一致性。

大量资料表明，区内这期平行褶皱与推覆构造息息相关。这些倒转、平卧的褶皱系是由于逆冲推覆作用对早期直立、歪斜褶皱的再造。该期逆冲推覆断层继承、迁就并叠加改造了早期马超营断层带，据"河南省深部构造与矿产关系的研究报告"（河南物探队，1991），马超营断裂滑脱推覆面深部延伸至灵宝—洛宁一带，其倾角在下部大致为 20°～30°，它是继承并改造了先期滑脱拆离断层面，并在其逆冲推覆构造的锋缘，产生一系列复杂多变、形态各异的平卧、翻卷式构造。

三、马超营断裂带晚期脆性剪切特征

马超营断裂带晚期脆性剪切主要表现为属碎裂岩系的断层角砾岩带和断层破碎带。其表现形式不一的脆性断层，多叠加改造先期糜棱岩带和推覆断裂带，形成碎裂糜棱岩、断层角砾岩和碎粉岩等。整体来看，晚期脆性断层最突出的特征是呈断续分布，右旋斜列，并沿其形成晚白垩—第三纪潭头—嵩县红色断陷盆地。显然晚期脆性叠加、改造主要形成于燕山晚期—喜马拉雅早期，而在第三纪时又遭受挤压变形。使第三纪地层呈向斜构造，同时盆地边缘断裂又切割第三系地层形成红色断层泥和泥砾岩等。在前河一带断裂切割合峪花岗岩体（γ_5^3）形成宽达上百米的碎裂花岗岩带。断面向北陡倾，倾角 50°～70°。

本阶段高角度脆性剪切，主要为继承迁就原来断裂，使先期的马超营断裂角度变陡，性质转变为差异升降和扭动。因此，该断裂在晚期表现为先拉张后挤压的特征，并使早期的构造岩成为断层角砾岩。断带内一般无新生应变矿物。因风化淋滤，地表常呈现灰白色及褐色粉沫或疏松状岩块。本区一般地质图件上标出的马超营断裂绝大多数属此类断裂。

第二节 马超营顺层韧性剪切带及其研究

一、韧性剪切带的概念及分类

目前普遍认为，韧性剪切带（ductile shear zone）即岩石中的线状高应变带，是在地壳较深层次中，岩石在剪切作用下发生强烈塑性变形，形成狭窄线型分布的各种塑性剪切构造形式。并使其两侧岩石发生不同量级的位移错动变形，但剪切带与围岩无明显的分界面，总体为一线性带状分布的强应变带。该构造与多种内生矿产有关，尤为引人瞩目的是与金矿的密切关

系。目前研究表明，韧性剪切带不仅是导矿构造，而且也是一种重要的储矿构造。现已查明在世界范围内许多大型、超大型金矿床或成矿带的产出，与大型线性韧性剪切带密切相关。我们对熊耳山南缘金矿带矿床特征及成矿作用的初步总结认为，本区金矿的形成主要受马超营韧性剪切带的控制，它不仅控制着金的迁移通道和产出空间，而且直接参与了成矿作用。正是由于韧性剪切与金矿的这种特殊关系，使得韧性剪切带成矿理论及研究方法得以迅速发展，并日臻成熟和完善。韧性剪切带的分类方案较多，M.Mattauer(1980)根据断裂性质把韧性剪切带分为韧性逆冲推覆剪切带、韧性平移剪切带和垂直片理化带三类。有人按区域构造应力场性质将韧性剪切带分为挤压型、伸展型和平移型。R.H.Ramsay(1980)把剪切带分为脆性剪切带、韧性剪切带及介于二者之间的脆-韧性剪切带等。

综上所述，韧性剪切带是地下较深层的主要构造形式，一般认为其形成深度为 10~15 km，但目前裸露地表的马超营顺层韧性剪切带是受伸展而被拖到地表的，后又叠加了后期的脆性断裂，它是华北台南部边缘伸展构造的重要形式之一。

二、马超营顺层韧性剪切带特征

(一)韧性剪切带的宏观构造特征

1. 展布、规模、形态特征

该剪切带西起卢氏白玉沟以西，向东经马超营、狮子庙、前河、蒲池延出区外，中部被合峪花岗岩体(γ_5^3)所吞噬，已查明的长度至少有 70 km。总体走向 270°~300°，北倾，倾角 45°~70°，局部南倾，较陡。主要表现为向北伸展滑脱的特点。

该韧性剪切带，总的趋势表现为由南向北、由西向东，其变形由强变弱，但局部又有强弱变化，即弱中有强、强中有弱。剪切糜棱岩带在前河以东地区仅有数十米至 200 余 m，而中部五成沟一带却不见出露，鸭石沟以西最发育，宽达 1~4 km。

2. 岩层的普遍变薄和岩石的糜棱岩化

在顺层韧性剪切带内由于岩层的剪切流动，常导致熊耳群或官道口群原生沉积岩系的厚度变薄，甚至使某些岩性层发生构造流失。如官道口群高山河组，在研究区北部杨盘一雁关岭、三官庙一无影山一带未变形区，厚达 215~258 m，而在南部的韧性剪切带内厚度变薄，仅几米至十几米，甚至缺失。熊耳群许山组和鸡蛋坪组也发生了明显的构造流失，与北部龙王庄未变形区相比，该带现存厚度仅为原厚度的 1/2~1/5，造成了本区一种特殊的构造现象：地层严重缺失不全，但各组地层的分子在区内全部存在。过去人们为了解释这种现象，认为马超营断裂之南(即韧性剪切带内)的熊耳群由于地处古火山喷发带的边缘，所以地层厚度变薄或缺失，目前看来，这种解释显然是不够全面的，它不仅与前者有关，而且拆离作用对造成地层减薄或缺失也起了重要作用。

带内岩石的变形反映在其普遍的糜棱岩化，发育非常明显的透入性面理和拉伸线理，形成典型的 S 构造岩。顺层韧性剪切带的构造特征及其结构，与原岩的能干度密切相关。一般在安山岩、凝灰岩组成的软弱岩系，常形成透入性的平行连续的片理或劈理带；而能干度较强的流纹岩和砂砾岩夹层变形较弱。两者在区域上构成了高应变与弱应变透镜域间列的交织网状域组格局，形似宏观的 S-C 组构。

3. 黏滞性香肠构造和构造透镜体

香肠构造是马超营韧性剪切带塑性流变构造群落中的重要组成，这在韧性剪切带内大到区域夹层，小到手标本，到处可见广泛发育，呈区域性分布。在区域上，夹于安山岩中的砂砾岩或流纹岩，在伸展变薄的过程中常表现为强烈的石香肠化或透镜化。但它本身有时亦可受到不同程度的糜棱岩化或微碎裂化，但更常见熊耳群底部大古石组沿走向断续出露，时而缺失，使其上的许山组与其下太华岩群直接接触，其间无任何断层迹象。在鸭石沟、磨石沟可见石英砂岩香肠块段沿走向长 50～100 m，宽 3～5 m，最宽 20 m 左右，这些块段首尾相连，宛如游鱼，断续分布。

在韧性剪切带内，常见沿糜棱面理贯入的同构造分泌石英脉，并伴随褶皱和韧性剪切作用进一步变形，其形状多样，有的呈串珠状，有的呈孤立状态，或呈藕断丝连的石香肠和透镜体状及布丁构造等(见图 3-13、图 3-14)。这些都是被拉伸颈缩所构成的，其脉体平行于剪切叶理 C 面(滑移面)，它们都代表了剪切运动的矢量。

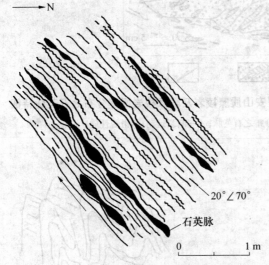

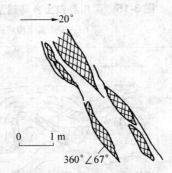

图 3-13　栾川县翁峪沟糜棱岩带中
同构造分泌结晶石英脉，形成黏滞性香肠构造

图 3-14　栾川县康山公路旁沿糜棱
岩化安山岩面理发育的石英不透镜体

4．同构造分泌结晶脉

同构造分泌结晶脉系指伴随构造变形，原岩组分生发分解，迁移和重新聚集而形成的新的矿物合体。本区韧性剪切带中，特别是在主拆离断层带下盘附近的强变形带内，这种同构造分泌结晶石英脉沿剪切叶理成群、成带分布(见图 3-15)。脉长数米至数十米，宽几十厘米至数米，小者仅数厘米。石英脉洁白、干净，基本无矿化蚀变矿化现象，在本区我们称它为"傻瓜脉"。它们多呈透镜状、脉状或团块状分布于糜棱岩带中，随剪切作用递进，石英脉进一步变形，其各种形式的变形特征，指示了韧性剪切带的应变状态和递进变形过程。

5．剪切褶皱

该剪切带可见到发育不同类型的剪切褶皱，其类型为不对称褶皱、"A"型褶皱(见图 3-16、图 3-17)和不协调褶皱等。这些褶皱的枢纽大致平行于拉伸线理的方向。这在栾川县马超营、瓮峪沟、蒲池等地的剪切带主界面附近均可见到，规模一般较小，多在几十厘米左右。在构成"A"型褶皱的黑云糜棱岩的叶理面上拉伸线理很发育。

(二)韧性剪切带的微观构造特征

马超营韧性剪切带普遍发育剪切作用形成的各种微构造，如 S-C 面理构造、压力影、旋转变形、云母鱼和石英的波状消光、变形纹及核幔构造等。通过这些微构造特征分析，进而探讨与韧性剪切带有关联的动力学、运动学方面的问题。

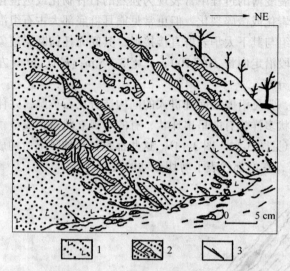

图 3-15 栾川县白土乡马超营断裂带滑覆型安山质糜棱岩及顺糜棱岩面理分布之石英脉特征

1—安山质糜棱岩；2—顺糜棱面理分布之石英脉；3—断裂运动(示滑脱性质)

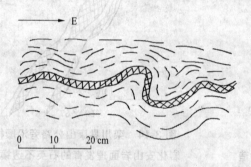

图 3-16 栾川县白土乡大南沟韧性
剪切带内不对称褶皱

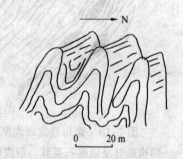

图 3-17 栾川县白土乡马超营韧性
剪切带内"A"型褶皱构造特征

1. S–C 面理

S–C 面理构造是韧性剪切变形岩石(糜棱岩)中发育的一种特征性构造，宏观和微观皆较常见，它是由韧性剪切带内两组面理构成的。S 面理是一种透入性面状构造，由矿物形态优选方位所体现的面理。C 面理则是不连续的剪切应变面理，表现为绢云母层及基质条带的展布。S 面理与 C 面理间常具有一定夹角，随着应变量的增大二者逐渐趋于平行。区内 S∧C 夹角从剪切带中心的 0 ~ 5º 到边缘的 25º ~ 35º 有规律地变化。因此，利用 S–C 夹角关系来估算应变大小，而二者的锐角总是指向该盘的剪切方向，故又可用来判断剪切方向。

2. 压力影构造

区内糜棱岩中压力影显微构造常见为直纤维压力影和弯曲纤维状压力影、粒状压力影等。

3. 条带条纹状构造

这是糜棱岩中普遍发育的显微构造。镜下表现为强变形的石英重结晶条纹条带、微粒绢云母条纹带及长石条带形成的石英-钠长石-绢云母条带，与弱变形的石英、长石碎斑层相间分层分布，或石英与绢云母相间分布组成条纹状构造。

4. 拉伸线理

拉伸线理是由剪切作用过程中所形成的矿物生长线理。矿物拉伸线理及布丁化石英脉、石香肠、拉伸砾石、杏仁体、石泡等是区内韧性剪切带中常见的线状构造。如栾川县大南沟内糜棱岩中的拉伸石泡构造（见图 3-18），与糜棱面理走向方向垂直，线理侧伏角 60°～85°E。示上盘向北伸展滑脱的正断层剪切。矿物生长线理多是纤状矿物（石英、方解石、绿泥石、绢云母）、柱状矿物（次闪石等），定向生长所显示的是又一种线状构造。

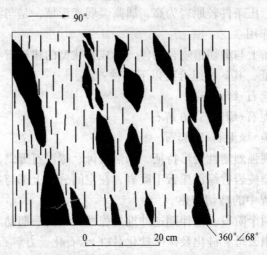

图 3-18   栾川县白土乡南天门北大南沟糜棱岩带"XY"面上的拉伸石泡构造

5. 碎斑系构造

糜棱岩虽主要是韧性变形形成的，但由于不同矿物变形行为不同，其中易流变的矿物经塑性变形成为基质，不易流变的矿物发生碎裂变形，呈碎斑保存于基质中。区内糜棱岩中常见石英集合体碎斑、长石碎斑等。碎斑多被圆化成近椭圆形，在碎斑两端有细粒的重结晶的黑云母或绿泥石、石英等组成的结晶尾，两者一起组成碎斑系。结晶尾一般呈单斜对称，按其形态可分为 σ 型和 δ 型，以 σ 型最为常见。

三、韧性剪切带与变质作用的关系

马超营剪切带及其两侧地带经历了多期变质作用，并且具有与一般区域变质作用不同的特点，即韧性剪切带热动力变质作用。

韧性剪切带不仅是强烈变形的狭窄面状带，且从物质组成的观点看，也是矿物组合和化学成分发生重要变化的动力变质带。

我们在研究马超营韧性剪切带变形的同时，也研究了它与变质作用的关系。据研究，宽达数千米的马超营韧性剪切带中岩石主要经历了三期变质作用。

第一期加里东期，形成的区域动力热流变质作用，为熊耳群和官道口群中最重要的变质作用。

第二期海西—印支期，伴随剪切作用产生的进变质作用和基底拆离断层带的退变质作用。

第三期燕山期，局部性水热蚀变作用。

第一期区域动力热流变质作用仅相当于低绿片岩相绢云母-钠长石带。

第二期变质作用与韧性剪切作用相伴。该期剪切作用具有区域性和不均匀性的特点，因而与其相伴的变质作用也有类似的特点。该期变质作用是动力变质作用对早期区域变质作用的叠加。一般认为，动力变质叠加的范围相对小些，并呈线型分布。我们在基底拆离断层下盘剪切带见到的它对太华岩群角闪岩的影响主要表现为退变质作用。以低级变质相的矿物组合交代或转变，代替了较高级相的矿物组合的退变质作用。而沿基底滑脱拆离断层上盘与马超营滑脱断层下盘之间的韧性剪切带所见到它对原岩的影响则与之相反，表现为进变质为主。这主要是该带原岩变质程度低(为低绿片岩相绢云母–钠长石带)，而在韧性剪切带形成时所处的层次及变质作用的温、压条件较原岩为高，属高温弱变形域，是与深层次韧性剪切变形事件密切相关的前进变质作用。

该变质带在空间展布上与剪切带吻合相伴，形成带状型的狭长带状变质带，其产物出现黑云母的矿物组合为特征，其矿物组合有以下几种：

黑云母+钠长石+阳起石+绿泥石

黑云母+钠长石+绿泥石+绿帘石+方解石

黑云母+钠长石+石英+绿泥石+阳起石

其新生变质矿物呈现强烈塑性变形特征，如黑云母、绿泥石等，其优选方位均平行于糜棱面理。特别是黑云母糜棱岩、绿泥黑云千糜岩，在空间分布上都与本区顺层韧性剪切带有关，它们反映了构造过程中的剪切增热。

第三期变质作用分两个阶段：①伴随逆冲推覆脆性剪切的一期动力水热蚀变作用，其产物是出现与成矿有关的绢云母、硅化及碳酸盐化(铁白云石化、方解石化)、黄铁绢英岩化等蚀变和黄铁矿化、方铅矿化等金属矿化。本期变质作用影响规模小、局限性强，仅局限于推覆断层上盘附近。其温、压条件相对加里东期和海西—印支期变质作用来说，是一次局部性退变质作用。②燕山晚期的接触变质作用。其空间分布有一定局限性，明显围绕合峪花岗岩体呈晕圈状。

四、马超营断裂带流体包裹体的研究

在韧性剪切变形变质过程中，其中部分岩石矿物由于这些变化可能释放出部分结晶水、晶洞水和裂隙水及其他挥发分，形成构造流体。这些热流体在矿物重结晶或新矿物形成的过程中，可以被捕获而形成流体包裹体。它们是构造应力作用下热流体的代表，能够给我们提供有关地质历史上曾发生的构造变动的某些物理化学信息，是研究马超营断裂带构造环境特征的微观证据。

为此，本次工作沿马超营断裂带走向分别在康山、星星阴、红庄、南坪、前河、店房及南部韧性剪切带采集了7件(石英)包体测温样，同时又收集了该带流体包裹体剖面资料(东秦岭—大巴山造山带构造演化，1989)等，进行综合研究，断裂带流体包裹体特征见表3-1。

研究结果表明，不同构造层次和不同构造部位的流体包裹体类型、均一温度、气体成分、流体的盐度和密度等方面各有不同特征。

(1)马超营断裂北侧4个样品代表了熊耳山隆断区的特征。因火山岩基本未变形、变质，火山岩的斑晶、气孔保存完好，除含大量硅酸盐熔融包裹体外，仅见个别气液比为5%的富液相包裹体，均一温度在110~130℃之间，反映该区的构造变动非常微弱。

(2)马超营韧性–脆性断裂带内与矿化有关的原生包裹体均一温度，除店房较高外(298~310℃)，一般变化范围为257~286℃。而前人测定流体包裹体气液比为5%左右，均一温度平均为142℃。

表 3-1　马超营断裂带流体包裹体特征

构造层次	测试矿物	流体包裹体类型	均一温度 (℃)	主要气体成分	盐度 (Wt%NaCl)	密度 g／cm³	资料来源
断裂上盘弱变形域—熊耳山隆断区		1.硅酸盐熔融包裹体					东秦岭—大巴山造山带构造演化报告 1989 年
		2.富液相包裹体	125	H_2O	0.5 ~ 1.5	0.95	
韧性-脆性断裂带		富液相包裹体	142	H_2O	0.5 ~ 1.5	0.95	
下部韧性变形域-糜棱岩带		1.纯液相包裹体	<50	H_2O+CH_4		>1.0	
		2.富液相包裹体	320 ~ 340	H_2O		0.95	
韧性–脆性断裂带（康山、星星阴、红庄、南坪、前河、店房等矿石石英）	石英	CO_2 ~ H_2O 包裹体	257 ~ 262		5.6 ~ 6.6		本课题组
		CO_2 ~ H_2O 包裹体	267 ~ 275		4.3 ~ 5.6		
		（次生）气液、液体包裹体	216 ~ 315		13.5 ~ 16.2		
		液体包裹体(次生)	172 ~ 190		8.7 ~ 9.2		
		气液体包裹体	276 ~ 288		3.0 ~ 3.5		
		气液体包裹体	298 ~ 310		2.6 ~ 4.8		
韧性剪切带内同构造石英	石英	气液体包裹体	271 ~ 301		2.8 ~ 3.4		

（3）取自韧性剪切带糜棱岩中的同构造石英脉包体，均一温度为 271 ~ 301 ℃。而收集到的 4 个样品中，所含富液相包裹体有两个亚类，一类的气液比为 30% ~ 40%，均一温度为 320 ~ 340 ℃；另一类的气液比为 5%左右，均一温度为 130 ℃左右。

综上所述，不同构造位置的流体包裹体的这些区别，是不同构造层次及构造分区的佐证。流体包裹体类型、均一温度等的差别，正说明了马超营断裂系统中不同部位、不同构造层次的温压特征。

第三节　构造岩类型及其特征

由于测区所处的特定构造位置，长期多次的构造活动形成众多不同期次、不同方向及不同规模的剪切带，剪切带内各种变形性质不同的构造岩广泛发育。通过对构造岩的岩石学、运动学特征的详细研究，将对认识区域构造演化、金矿成因及指导找矿起着重要作用。

近年来，对构造岩的分类方案很多，本次工作以宋鸿林（1986）的分类方案（见表 3-2）为基础，结合本区构造岩矿物成分、结构构造特征，对本区构造进行了详细分类。

一、脆性变形域碎裂作用岩石系列

本区以碎裂作用为主的脆性剪切产物，主要分布在较大的断层带内及其附近，特别是在挽近时期的脆性断裂带内更为发育。

(一)半固结的(非胶结型)断层泥及断层角砾

位于脆性剪切带上部，其产物均为断层角砾和断层泥。由于风化淋滤，断层泥多变为灰白到灰绿（或紫红）色，主要成分为黏土类矿物、石英和炭质等，呈泥膏状，常发育于剪切带上盘或下盘，厚度不等，一般 5 ~ 10 cm。断层角砾也是后期构造活动产物，发生角砾化的岩石多为早期构造岩。它们都是剪切带挽近时期活动时在近地表处的特征产物，与现存金矿的形成无直接的关系，为一期破矿构造产物。

(二)固结的脆性碎裂岩系

该类构造岩形成深度相对较大，但仍处于地壳较浅部位，为胶结型脆性断层的产物。它是在较低的温度、较高的应变速率和较低的恢复速率条件下，原岩经破碎、压碎–固结等作用而形成的。所以，该类岩石的共同特点是岩石脆性裂隙发育，沿裂隙有方解石或铁白云石化脉、硅质细脉及绿泥石、绢云母等充填。

表 3-2 构造岩分类表

项目		基质性质	基质含量	多数碎块粒径	岩石名称
半固结的		碎裂作用为主	可见碎块>30%		断层角砾
			可见碎块<30%		断层泥
	一般不具流状构造	碎裂作用为主	<10%	>2 mm	碎裂化××岩
			10%~50%		断层角砾岩 断层磨砾岩
			50%~90%	0.1~2 mm	碎斑岩 碎粒岩
固结的			>90%	<0.1 mm	碎粉岩(超碎裂岩)
	具流状构造	糜棱岩化作用为主	<10%		糜棱岩化××岩
			10%~50%		初糜棱岩
			50%~90%		糜棱岩
			>90%		超糜棱岩
	具结晶面理	重结晶及新矿物生长显著	重结晶程度	<50%	千糜岩
					变余糜棱岩
				>50%	构造片岩
					构造片麻岩

1. 碎裂岩化岩石

该类岩石是以碎裂变形作用为主，如碎裂岩化安山岩、碎裂岩化糜棱岩等，在区内各剪切带内均较发育，宽度可达数米至数十米，一般分布在断裂带外侧。

其特征是，岩石由裂隙相互穿插，密集排列，抑或杂乱交错形成碎裂结构。这种岩石虽然有碎裂变形，但原岩物质成分及结构、构造基本保留。

2. 碎斑岩

岩石具碎斑结构及碎粒结构，碎裂作用较为强烈，碎斑含量 80%~90%，局部出现新生矿物，原岩结构构造被破坏，原岩性质难以恢复。岩石粉碎、粒化产生裂纹，裂隙中常有粉碎物、褐铁矿及硅质成分沿碎斑和碎砾之间充填胶结。该岩石常伴有热液蚀变作用，有硅化、绢云母化、高岭土化、碳酸盐化等。

3. 断层角砾岩及断层磨砾岩

这类岩石主要发育于脆性断裂附近，断层角砾岩中角砾多呈棱角状，大小悬殊，杂乱分布。胶结物为细粒状岩粉、钙质、泥质和次生铁质成分，有时可见表生淋滤的碳酸盐。断层磨砾岩主要由磨砾和胶结物两部分组成，砾石大多呈浑圆状、扁平状。压扁和圆化的磨砾长轴略具定向排列。胶结物主要为原岩碾磨的碎屑及硅质、粉状矿物等。岩石中的石基部分蚀变强烈，主要为绢云母化、硅化、褐铁矿化等。

二、韧性变形域糜棱岩系列

糜棱岩作为一种构造岩，它是在构造应力作用下，原岩发生韧性剪切变形和动态重结晶的产物，是在剪切作用和应变软化作用的条件下形成的各种细粒化变形矿物的自然组合。通过宏观和镜下观察，本区的大部分糜棱岩为非花岗质和非片麻质的细粒岩石，主要为熊耳群火山熔岩(流纹岩、安山岩等)发生韧性剪切变形所形成的，它与花岗质糜棱岩明显不同。其特征是：①残斑或碎斑。因原岩为隐晶-细粒块状或斑状的岩石，故糜棱基质与碎斑差别不太明显，残斑最明显的是残留杏仁体或石英。正常情况下，本应斜长石在韧性变形时变为残斑，而石英变为糜棱基质，但是由于本区变形的同时，有大量流体参与(如 H_2O、K_2O 等)，斜长石由于绢英岩化而易发生变形，所以多作为糜棱基质，而石英更多的作为残斑。②糜棱基质多为黑云母，晚期可有绢云母等，因原岩粒度小，故它们的透入性较强，当后来蚀变强烈时，往往遮盖早期的韧性变形产物。

根据糜棱岩中碎斑、基质成分的含量及石英动态重结晶程度、物质成分等，将区内的糜棱岩类进一步细分为：糜棱岩化岩石、初糜棱岩、糜棱岩、超糜棱岩、千糜岩类等，其各类岩石岩相特征如下。

(一)糜棱岩化岩石

糜棱岩化岩石是糜棱岩系中塑性变形程度最低的岩石类型，原岩结构保留尚好，但主要造岩矿物发生了不同程度的塑性变形。区内的糜棱岩化岩石主要有糜棱岩化安山岩、糜棱岩化流纹岩、糜棱岩化斜长角闪片麻岩、糜棱岩化大理岩、糜棱岩化凝灰质砂岩等。

上述类型的岩石多分布在韧性剪切带的边缘或能干性较强岩石的周边，但由于后期构造的叠加、破坏，都呈现程度不同的破碎。

岩石中半透入性鳞片状矿物黑云母、绢云母、绿泥石等略具定向排列，局部构成韧脆性剪切条带。石英呈不规则状，略有拉长，发育波状消光，沿边缘有动态重结晶。个别石英集合体呈扁豆状，长宽比为 2~4。斜长石半自形-自形状，边缘多呈浑圆状，有弯曲、扭折现象，多发育脆性破碎，沿裂隙有细小绢云母充填，并见有残斑，两端压力影为石英和黑云母。斜长石的绢云母化强烈，有些已呈假象。

(二)初糜棱岩

与糜棱岩化岩石呈渐变过渡，岩石具糜棱结构，鳞片变晶结构，片状构造。岩石中碎斑含量因原岩成分、结构构造的不同而有所差异。在太华岩群结晶岩系中，碎斑含量高达 8%~50%，基质含量在 10%~50%动态重结晶程度约为 20%。主要矿物为斜长石、石英、角闪石或黑云母等。原岩属熊耳群细粒火山熔岩的糜棱基质与碎斑差别不太明显，矿物成分主要为斜长石(30%~60%)、石英(30%)、绿泥石、黑云母及绢云母(3%~5%)等。岩石中残斑成分可见细板条状斜长石或石英，但最明显的是残留杏仁体了。石英具波状消光和带状消光，有时还发育核幔构造，即以碎斑为核，边缘被颗粒及重结晶颗粒所组成的"幔"包围，石英构成的杏仁多被压扁拉长，最大变形的杏仁体长宽比为 10~21，有些呈动态重结晶石英条带。长石分解产物绢云母、钠长石构成基质的一部分，同时形成不同成分的条带。基质成分主要由近透入性的糜棱状石英及显微鳞片状云母、绿泥石组成，粒度一般为

0.01～0.1 mm，呈条纹、条带状分布，定向平行排列，这些矿物多为重结晶及新生的矿物。岩石发育 S–C 面理。

(三)糜棱岩

糜棱岩与初糜棱岩无明显界面，呈渐变过渡或交替出现。具有更明显的糜棱结构和流动、韧性变形构造。碎斑含量较少，一般小于 50%。以其不同的矿物组合，区内糜棱岩可分为黑云安山质(或流纹质)糜棱岩、娟英质糜棱岩长英质及角闪质糜棱岩等，以前者为主，后者不发育。其岩性特征如下：

(1)安山质糜棱岩。此岩石原岩为杏仁状或块状安山岩，由于这类岩石的能干性差，区内安山质糜棱岩较其他种类的糜棱岩出现的机会要多些。岩石呈灰绿色，叶片状构造、细条纹状构造，面理发育。镜下具糜棱结构、鳞片变晶结构、微晶结构、片状构造。主要矿物由斜长石、黑云母、石英、绿泥石、绢云母和少量阳起石等，这些矿物呈大小不等的微晶或细粒状出现。岩石中残斑为原岩中残余杏仁(石英集合体)和斜长石，占岩石的 10%～20%，碎斑石英强烈塑性变形，压扁拉长，轴比 3∶1～5∶1，个别达 10∶1，粒内发育波消光、变形带、亚晶和拉丝构造。石英动态重结晶程度 75%，粒度多在 0.02 mm，多呈石英重结晶条纹条带，与糜棱条带相间组成条带状构造。斜长石扭折、弯曲较普遍，脆性裂隙发育，从一些斜长石残斑与糜棱基质所构成的 S–C 构造可知，剪切变形在水平面上为右行剪切。在变形的同时，安山岩发生带状透入性动力变质，形成大量强烈定向的雏晶黑云母，后来又发生动力退变，一些黑云母退变为绿泥石。

由于原岩为细粒致密岩石，所以在韧性剪切时，变形杏仁多表现为残斑，而黑云母、绿泥石、绢云母及斜长石等构成糜棱基质。

(2)绢英质糜棱岩。原岩为流纹岩或英安岩，由于强烈的韧性变形和伴随的动力绢英岩化，形成绢英质糜棱岩。岩石呈灰白–灰绿色，片状构造，镜下见鳞片变晶结构、不等粒结构、片状及条带状构造。主要矿物成分为绢云母(20%～60%)、黑云母(0～10%)、石英(20%～30%)、斜长石(5%～35%)。残斑(10%～30%)多为石英，呈浑圆–棱角状、眼球状、透镜状定向排列。沿边缘有动态重结晶的石英(d=0.01～0.02 mm)，有的残斑为粒度稍粗(d = 0.07～0.1 mm)的动态重结晶石英集合体。石英具强波状消光或带状消光，有时形成核幔构造或石英条带。碎基成分主要为绢云母、黑云母、石英、斜长石等，呈细小晶体定向排列，显示流动构造。

该岩类面理发育，含水矿物丰富。与同成分之初糜棱岩比较，石英动态重结晶程度增高，粒度变细，塑性变形增强，轴比增大。

(3)长英质糜棱岩。该类岩石原岩为太华岩群变质岩系，主要分布于区内基底拆离断层下盘。野外观察多呈灰白–灰色，具明显的眼球状构造及条纹状、片状构造，面理发育。基质具明显的流动构造，并围绕眼球状碎斑流动。

岩石主要由长英质矿物斜长石、钾长石、石英组成，含少量的黑云母、白云母和角闪石等。镜下观察碎斑主要有两种，石英居多，其次是长石，呈眼球状、透镜状定向排列。另外还有少量黑云母碎斑，多呈鱼状。基质成分主要为石英、长石和云母，石英具有明显的动态重结晶，强波状消光，有时形成核幔构造或石英条带。碎斑石英含量约 10%，强塑性变形，压扁拉长，或呈不规则撕裂状，粒度为 0.1～0.3 mm，轴比 3∶1～5∶1，个别达 8∶1。粒内发育波状消光、变形带、亚晶构造。长石碎斑呈不规则状、眼球状、双晶发育，扭折、弯曲普遍。

(四)超糜棱岩

该类岩石与同成分糜棱岩比较，粒度更细，显微层状构造更为发育，而矿物成分则趋于简单化，S–C面理近于一致。此岩类区内出现较少，主要分布在强塑性变形的糜棱岩带中。岩石多呈灰绿色，细粒致密，具平行构造，条带状构造，流动构造，超糜棱结构。主要矿物成分为石英、长石、绢云母、黑云母及绿泥石等。岩石中碎斑含量较少(小于10%)，主要由石英、长石组成，粒度 0.3～0.5 mm，呈压扁拉长状分布于石基中。碎基粒级很细，一般小于 0.02 mm，多在 0.01～0.03 mm，呈定向分布。石英重结晶程度大于80%，呈条带状与绢云母条带相间排列。基质中的绢云母和斜长石与石英相间分布，形成层状构造。

(五)千糜岩类

它产于糜棱岩带内，与糜棱岩相间出现，很少见原岩组构的残余。它是糜棱岩的一个变种，具有较少的碎斑(小于10%)，但重结晶作用明显，基质中富含含水片矿物，如绢云母、绿泥石等，使岩石呈现丝绢光泽。基质中石英、绢云母等定向排列，具千糜结构，碎斑为长石，呈透镜状分布。区内常见有石英绢云千糜岩、黑云绢云千糜岩、绿帘绿泥千糜岩等，岩石具千糜状、皱纹片状及平行状构造，显微鳞片花岗变晶结构。岩石矿物主要为绢云母(50%～80%)、石英(10%～20%)，含少量长石、绿泥石、绿帘石等。石英的动态重结晶程度为20%～30%，粒度约 0.02 mm，与绢云母呈条带状分布。碎斑石英(石英质残留杏仁)呈强烈压扁拉长，轴比 3.5∶1～5∶1，波状消光、变形带。亚晶构造等极为发育。绢云母片度很小，呈条带状包绕石英和长石碎斑，膝折、揉皱现象颇为常见。

由上述糜棱岩类岩石的特征不难看出，从糜棱岩化岩石到超糜棱岩，岩石的物质组成和结构构造等发生了明显的变化，主要表现在岩石的成分趋于简单化，逐步转变为以绢云母和石英为主，组构上逐渐发育形成完善的面理构造；长石、石英残斑含量和粒度逐渐下降和减小，基质含量增高，新生矿物含量亦愈来愈多，随着应变增大，动力变质作用亦较强烈，主要表现为长石颗粒分解成绢云母、钠长石和石英等，定向较差；长石、石英的粒内变形等特征，随应变增强有一定改变。

第四节　马超营断裂带的运动学、动力学特征

一、变形运动学分析

糜棱岩带内保留有丰富的微观和宏观剪切指向标志，它对剪切带的运动学和动力学分析，乃至对于宏观大构造和区域构造研究具有重要意义。

无论是野外还是镜下，断裂带(糜棱岩带)内岩石的 XZ 面上都能观察到判别指向的运动学标志。如旋转碎斑系、不对称压力影、香肠构造、S–C组构等(见图 3-19、图 3-20)，均反映了马超营断裂带具有多期活动特征在同一岩石薄片中，可以清楚看到断裂带早期活动呈滑脱正断层式剪切(见图 3-19)，在平面上显示右旋性质；而晚期叠加构造表现为逆冲推覆，在水平面上具左旋剪切(见图 3-20)，并对早期滑脱正断层进行了改造。

二、石英 C 轴组构分析

由于石英对变形比较敏感，而且在剪切带内分布广泛，故对其显微组构进行了研究。通

过对石英的 C 轴组构测量表明，石英的 C 轴组构表现出明显的优选方位，其分布形式为典型的点极密型，为 S 构造岩。三个样品均不同程度地显现为极密、次极密，分散的极密部有围绕 Y-Z 面构成不完整的大圆环带或小圆环带的趋势（见图 3-21）。这种组构反映的是以低–中温高应变速率条件下石英具有以底面滑移为主，并有柱面滑移，即｛1010｝、＜1120＞滑移作用的结果，相当于 Tullis tan30°型形式，应变速率约 10^{-7}/s。近年来的研究已表明，韧性变形是通过晶内滑移来实现的，对于石英，在不同的温度和应变速率下，启动的滑移系统是不同的，而不同的滑移系统反映为不同的 C 轴组构类型。区内糜棱岩具有相同类型的 C 轴组构，说明石英中有相同滑移系统启动，也反映是在同一温度环境下形成的。

三个样品所显示极密、次极密有形成 Y-Z 面构成大圆环带趋势，可能与小褶皱有关。石英光轴岩组图中极密分散的原因可能是由于多期构造作用叠加改造，形成不同期次的动态重结晶石英颗粒测定的结果。结合显微构造分析，该剪切带多期活动明显，其平面运动方向表现为先右旋，后叠加左旋扭动。在剖面上对应的剪切方向为先下滑后逆冲，但以早期"右旋"下滑韧性剪切为主，表现强烈。薄片中测得 S∧C 夹角 20°左右，指示剪切方向为右旋。后期一次逆冲最大主压应力方向约 25°∠24°，反映该区经历了一次由北北东向南南西方向逆冲推覆作用的叠加、改造。

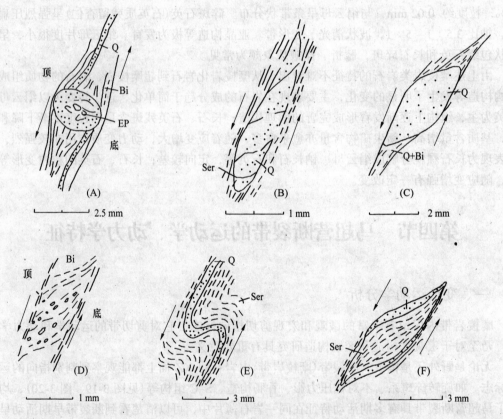

图 3-19　马超营韧性剪切带内定向薄片显微构造及剪切运动学标志（XZ 面，箭头示剪切方向）

Bi—黑云母；Ser—绿泥石；Q—石英；A—δ 型旋转碎斑示下滑正层式剪切（Q 为动态重结晶石英）；B—石英碎斑
内的绢云母构成的 S-C 组构，其锐夹角显示剖面为"下滑"剪切；C—斜长石碎斑两端的压力影构造，
剖面上示下滑；D—黑云安山质糜棱岩中 S-C 组构；E—绢云母千糜棱岩中同构造分泌石英脉，
平面示右行剪切；F—绢英糜棱岩中的 S-C 面理组构（云母鱼）剖面剪切方向为典型的下滑

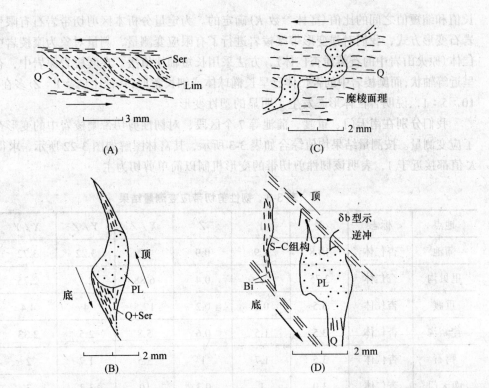

图 3-20　马超营断裂带内剪切运动学显微标志体（定向薄片 XZ 面，箭头示剪切方向）

A—晚期韧性叠加改造形成半透入性 S 面理，沿其生成褐铁矿（Lim），S–C 组构示左旋；

B—I 不对称δa 型斜长石旋转碎斑示剖面上为逆冲；C—示左旋剪切；

D—δb 型旋转碎斑系与基质的 S–C 面理组构，其锐夹角指示上盘逆冲

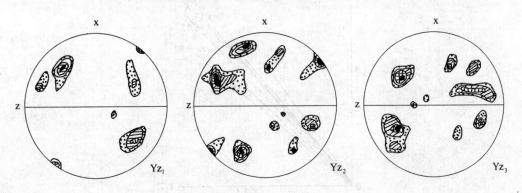

图 3-21　石英光轴岩组图（下半球投影）

Yz_1 点级密型：测量颗粒数为 200 个，等密线 6.5%–4.5%–3.5%–2.5%；Yz_2 点极密型，测量颗粒数为 200 个，等密线间距为 3.5%–3.0%–2.5%–2.0%；Yz_3 点级密型，测量颗粒数为 200 个，等密线间距为 7.5%–5.5%–5.0%–3.5%–2.5%

三、韧性剪切带应变分析

(一)变形机制分析

应变分析是研究物体变形机制的有效方法。主要是通过应变椭球体三个主应变轴上的拉

长值和缩短值之间的比值(富林参数 K)确定的。为定量分析本区剪切带岩石有限变量,研究岩石变形方式,我们对强变形带糜棱岩进行了有限应变测量,测量对象为糜棱岩中的变形杏仁体(原火山岩中的石英质杏仁体),方法采用长短轴比值法。在糜棱岩原岩中,杏仁体一般呈近等轴状,而糜棱岩中的杏仁体已呈长椭球体或细长条形,其轴比($X:Y:Z$)多在 5:3:1 ~ 10:5:1,说明杏仁体形态发生了明显的塑性变形。

我们分别在南天门、重渡、蒲池等 7 个区段,对韧性剪切带糜棱岩中的变形杏仁体进行了应变测量。按测量结果均值综合如表 3-3 所示,其富林图解如图 3-22 所示,求得 Fim 参数 K 值都接近于 1,表明该韧性剪切带的变形机制以简单剪切为主。

表 3-3 韧性剪切带应变测量结果

地点	标志	X	Y	Z	X/Z	Y/Z	X/Y	K
蒲池	杏仁体	10.8	2.9	0.9	12	3.22	3.72	1.23
里贝沟	杏仁体	2.75	1	0.4	6.88	2.5	2.75	1.17
重渡	杏仁体	3.5	0.8	0.2	17.5	4	4.4	1.13
瓮峪沟	杏仁体	3.5	1.5	0.6	5.8	2.5	2.33	0.89
鸭石	杏仁体	3.5	1.7	1	3.5	1.7	2	1.42
南天门	杏仁体	3.0	1	0.3	10	3.3	3	0.87
白玉沟	杏仁体	4	2	1	4	2	2	1.0

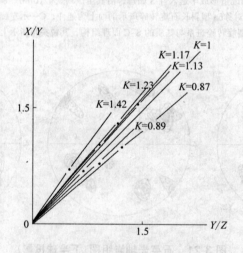

图 3-22 应变测量成果的富林图解

(二)剪应变值γ的测算

韧性剪切带内,在递进的简单剪切过程中,S–C 夹角将随应变的增大而减小,在剪切带的边缘夹角最大(区内一般 25°~ 38°),到中心趋于 0,一般在 3°~ 5°。我们在瓮峪沟韧性剪切带剖面上,从无应变区、弱应变区到强应变区的中心区,依次测量 S–C 间的夹角 0′,按公式 γ=2 / tan2 0′ 求得各点 γ 值,求得剪应变值为 0.5< γ <16,并作 γ ~ x 曲率图(见图 3-23)。从图 3-23 中可清楚地看出剪切应变在韧性剪切带中的变化及强度。

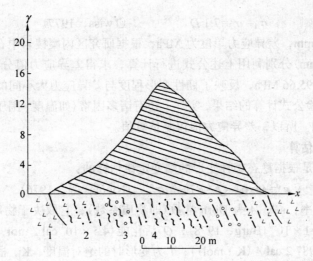

图 3-23 剪应变的 $\gamma \sim x$ 曲率图（横坐标 x 为地质剖面）

1—块状安山岩；2—弱变形域糜棱岩化安山岩；3—中等变形域初糜棱岩；4—强变形域糜棱岩

四、韧性剪切带的动力学分析

(一)古应力值估算

矿物在较高温度或较强应变条件下发生位错蠕变，常伴有动态重结晶作用，形成动态重结晶颗粒。金属和矿物的试验研究表明，动态重结晶颗粒大小与差异应力间存在一定函数关系，利用这些关系可估算古应力值。

本次工作共采集定向薄片 96 块，通过镜下对糜棱岩基质中动态重结晶石英颗粒粒径统计，并做频度–粒径直方图（见图 3-24），从图中可以看出，其优势粒径在 D=0.02 mm。按照岩石在稳流变状态下动态重结晶颗粒大小（D）与差异应力（$\sigma_1-\sigma_3$）间的关系：

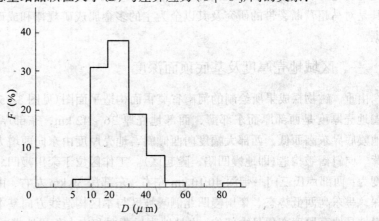

图 3-24 糜棱岩基质中动态重结晶石英颗粒频度（F）～粒径（D）直方图（测量颗粒数为 100 个）

$$\sigma_1-\sigma_3=AD^{-m}$$

式中，A 与 m 均为常数，不同的材料或矿物有不同的 A、m 值，对于石英来说，目前较常用的有以下两个经验公式：

$$\sigma_1-\sigma_3=5.58\,D^{-0.68}\quad (\text{Twiss，1977})$$

$$\sigma_1 - \sigma_3 = 7.1\,D^{-0.68} \qquad (\text{Twiss, 1977})$$

式中，D 的单位为 mm，差异应力单位为 MPa，根据研究区内糜棱岩中石英动态重结晶粒度统计数据（$D=0.02$ mm）分别利用上述公式进行计算，求得差异应力值分别为 79.79 MPa 和 111.53 MPa，平均 95.66 MPa，反映了韧性变形程度与差异应力大小间的关系。上述差异应力数据仅仅是据经验公式计算的结果，实际上还有诸多因素（如温度、围压、岩性、变形机制、应变速率等）的影响。所以，差异应力值仅是估算值。

(二)应变速率的估算

应变速率（ε°）是根据稳态塑性变形的蠕变定律估算的：

$$\varepsilon^\circ = A\exp(-Q/RT)\,\triangle\,\sigma^n \qquad (\text{Nicolas 等，1976})$$

式中，ε° 为应变速率，s^{-1}；A 为 Dorn 常数（即物质系数），它取决于物质成分及变形机制，对绿片相糜棱岩 $A=1\times10^{-7}$（Burg，1978）；Q 活化能（4.5×10^4 cal/mol，Goetze，1975）；R 为理想气体常数（1.987 2 cal/（K·mol））；T 为变形时的绝对温度，K。根据研究区马超营韧性剪切产生绿片岩相矿物组合及石英组构图推测 $T=670\sim770$ K，我们取中间数 $T=720$ K；n 为差异应力指数（它取决于变形机制，对于塑性变形 $3<n<5$，取 $n=4$，将有关参数代入蠕变方程整理后，得应变速率与差异应力的关系式为

$$\varepsilon^\circ = 2.19\times10^{-21}\,\triangle\,\sigma^4$$

将差异应力值代入后求得马超营韧性剪切带的应变速率为 1.83×10^{-13} s^{-1}。说明区内糜棱岩是在一个非常缓慢的变异过程中形成的。

第五节　马超营断裂带地球物理特征

本区地球物理工作程度较高。从 20 世纪 50 年代至今，已陆续完成 1：5 万、1：10 万航磁及 1：20 万～1：50 万重力测量。不同比例尺的重、磁物探成果图很清楚地为研究区提供了充分的地球物理依据。本次工作在综合前人资料的基础上，以求为区内基础地质的研究，尤其是对马超营断裂带的研究及其以金为主的多金属成矿规律和成矿预测提供有益的帮助和依据。

一、区域地壳厚度及基底顶面深度

由重、磁物探成果所绘制的河南省莫霍面构造平面图（见图 3-25，据张乃昌等）可知，河南省地壳厚度是西部厚而东部薄，西部地壳厚 36～42 km，东部厚 34～36 km(方城附近)，上地幔底界东高西低，西部大幅度向西倾斜，地壳厚度由东向西增大，西部为规则交替的壳幔背、向斜褶皱构造（即地幔凹陷、隆起区）。工作区位于栾川幔凹北侧幔坡区，区内莫霍面深度为：西部卢氏三门一带深 40.10 km 左右，东部深 39 km 左右，由东向西莫霍面也具逐渐加深，呈东高西低势态。栾川幔凹北侧幔坡区与本区构造线方向基本吻合，莫霍面向上隆起的幔坡是地壳厚度变化最大部位，也是地壳最薄弱和应力积累地带，常发育区域性主干断裂，马超营断裂作为地台边缘断裂带即发生在这一部位，它是内生多金属成矿的有利地带。

河南省熊耳山地区 1：20 万基底顶界面等深线图清晰地反映出，本区位于北部罗圈岩—秋扒基底凹陷和南部大石河—香子坪凹陷之间的三门—重渡基底隆起带上。从重力场特征看，该基底隆起带表现为狭长带状的重力低值带，而南北两侧才表现为正值区。地表太华岩群已断续裸露，基底等深线为 0～400 m。

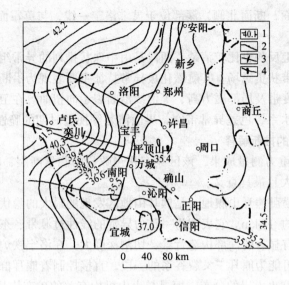

图 3-25　河南省莫霍面构造平面图

1—莫霍面等深线(km)；2—板块俯冲带；3—幔向斜轴；4—幔背斜轴

二、区域磁场特征

区域磁场不仅反映岩层的磁性和展布特征，并且与基底构造、断裂构造及岩浆活动有紧密联系，是研究基础地质的主要依据。在 1:20 万航磁图上，研究区自北向南可分为三个不同的磁场区(带)。

(1)南部平静磁场区(带)：位于韧性剪切带南侧，主要为无磁性的官道口群白云质大理岩。

(2)中部正负交变磁场区(带)：异常带位于马超营—重渡一线，异常密集，呈北西西向的串珠状排列，与区域构造线方向一致，ΔT 强度三百到四百伽玛呈双峰。该异常带与区内马超营韧性剪切带展布方向完全吻合重叠在一起，而与主拆离断层带不完全吻合，在马超营以西异常与之重叠在一起，至东部逐渐分开呈喇叭状。由此说明，该异常是区内韧性剪切带和区域热动力变质带的综合反映。

(3)北部杂乱磁场区：位于主拆离断层带以北，ΔT 曲线跳跃剧烈，正负交替，峰形尖锐，异常不连续，为典型的火山岩区磁场特征。

三、深部构造的地球物理异常特征

(一)马超营断裂带特征

河南省熊耳山地区 1:20 万区域重力调查成果(河南物探队，1990)反映，马超营断裂带西段 Δg 为串珠状重力高、低之间的过渡带；东段 Δg 布格为线性梯度带。Δg 反映为几个线性负异常轴的连线。重力延拓资料与地表产状一致，而且断裂在 13~15 km 深处成为两个分支，北倾，断深 38 km。

马超营断裂主要对应地幔幔坡，由于莫霍面上隆区的斜坡是地壳厚度变化最大部位，即厚地壳与薄地壳的交替带，因此在这些部位易发生区域性大断裂。这在河南省 1:50 万布格重力异常平面图上反映也很明显，断裂两侧重力场走向不一致，北侧为 NNE 向，南侧呈 NNW

向，该断裂切割莫霍面，断面北倾，深部位于灵宝洛宁一线，与莫霍面重力水平一次（0°）方向导数极值走向一致。

该断裂在航磁图上反映也比较清楚，西段是由串珠状排列的异常组成的高磁场带，北侧为呈近东西向延伸的带状负磁场。其航磁化极异常特征主要表现为沿断裂走向延伸的带状磁力高，其次显示为梯度带及局部磁力高、等值线沿断裂走向扭曲。在卫片上反映陡坎地形线排布，河流出现角状水系，色差异常带宽，界面清楚等挽近时期的脆性断裂特征。

(二)隐伏断裂特征的推断解释

根据熊耳山地区重力测量成果，该区具有相当数量的隐伏断裂，其中尤以上戈—铁炉坪—付店断裂规模最大且最具意义。

该断裂在区域上横卧熊耳山腹地，是熊耳山地区发现的最大的隐伏断裂带，位于研究区北缘，区内推断长度约 18 km。它表现为一重力异常的线性过渡带、东西向梯度带，卫片反映明显。断面北倾，有显著的深部构造背景，切割深度大。在洛宁铁炉坪以东沿断裂分布的古火山口有十余个，可能为熊耳三叉裂谷系的一段，直接控制着熊耳群火山活动。该断裂的发现对研究豫西熊耳群火山岩的分布，探寻与火山机构有关的矿产均具有重要意义。

(三)隐伏酸性岩体物理场特征

根据重力场反映并结合航磁资料、卫片等综合分析，本区由西向东存在隐伏岩体三处，其中较大的两个如下：

(1)狮子庙隐伏岩体。它是熊耳山地区 1：20 万区域重力推断南泥湖—狮子庙隐伏岩体在区内的北延部分。区域上岩体走向呈北东向展布，侵入中心位于陶湾、南泥湖之间。在本区该岩体位于栾川狮子庙一带，岩体产状较陡，并呈蘑菇状形态。隐伏岩体顶面埋深大致在 1 500～2 000 m 间。

(2)旧县—陶村隐伏岩体。位于合峪、花山岩体之间，岩体纵向产出形态呈锥形，且产状较陡，倾角最小部位为 50°左右。它是沿基底隆凹上侵的岩浆房，深部受北西西向推覆断裂控制，浅部受北东向构造制约。隐伏岩体的顶部埋深大致为北浅南深，可能在 10～15 km 之间。

第六节　熊耳山南缘地壳及马超营断裂带的
形成、发展与演化

研究区在漫长、复杂的演化历史中，经历了多期次挤压收缩、伸展滑脱、逆冲推覆等变形变质作用和岩浆活动的影响，才塑造了现今熊耳山南缘马超营断裂带的复杂构造格架和变形样式。通过本次大量的野外调查工作，结合区内 1：5 万区调成果，追索其演化过程，区内马超营断裂早在中元古代熊耳期就已成雏形，在其之后的漫长地史演化中经历了多期变形，特别是本次工作发现的马超营断裂早期伸展滑脱剪切构造以及之后的逆冲推覆构造的厘定，更进一步完善了本区马超营断裂带的构造演化史实。现已初步查明，区内马超营断裂构造的发育过程中，至少发生了 6 个变形旋回、10 个世代的构造事件(见图 3-26、表 3-4)，并且伴随有密切相关的沉积事件、变质事件和岩浆事件。这些息息相关的地质事件，不仅使我们得以全面地认识本区马超营断裂的构造演化，尤其是对揭示该区金的产生和富集规律有着极其重要的意义。

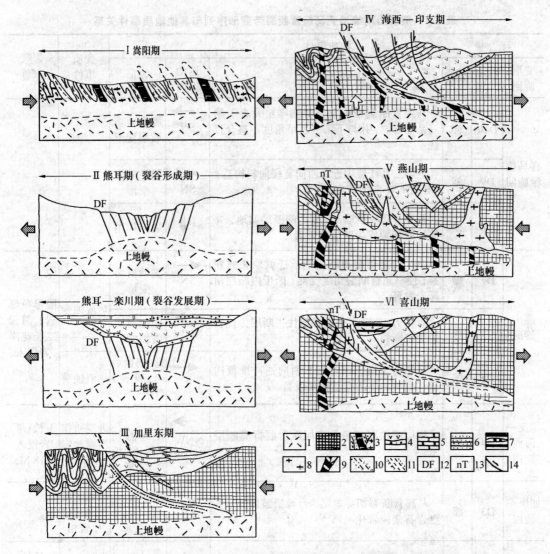

图 3-26　熊耳山南缘马超营断裂带及其毗邻地区构造演化模式图

1—上地幔；2—太古宙结晶基底；3—太华群花岗绿岩地体；4—中元古界磨石沟组及熊耳群火山岩；5—洛南群碳酸盐岩；
6—汝阳群碎屑岩；7—K_2–E 红色断陷盆地；8—燕山期重熔花岗岩；9—海西期碱性岩（正长岩）；
10、11—伸展滑脱型糜棱岩带；12—马超营断裂带；13—南天门断裂带；14—示断裂运动方向

一、嵩阳变形旋回

D1：褶皱隆起基底形成

研究区出露的最老地层为太华岩群（Arth），其原岩生成时代可能 >2 500 Ma。

在 25 亿年之前，原始地壳较薄，大量幔源物质上侵，在本区古地壳边缘的近东西向凹陷部位堆积了以中基性火山岩为主体的熊耳山南缘地壳及马超营断裂带变形序列积建造。太古代末期的嵩阳运动，出现南北向挤压，使这套中基性火山岩沉积盆地褶皱隆起，产生强烈的变形变质和混合岩化作用。由于混合岩化作用对岩石物质组分的酸性改造，区内硅铝层开始出现，地壳增厚，奠定了结晶基底的稳定基础。由于幔质物源中富含以 Au 为主的成矿元素，故区内太华岩群成为豫西第一个含金岩系，是豫西金矿的主要矿源层。

表 3-4 熊耳山南缘地壳马超营断裂带变形序列与其他地质事件关系

变形旋回	世代	体制	构造类型	运动方向	变形	变质事件	岩浆事件
			构造事件				
喜马拉雅旋回	D10	伸	马超营断裂带内及其旁侧零星发育上第三系砂砾岩,并与下第三系呈角度不整合接触	→ SN	脆性剪切破裂变形		
	D9	缩	下第三系红层中近东西向宽缓向斜构造;NE 及 NW 向剪切扭裂	← SN	脆性剪切变形		
	D8	伸	差异升降和扭动,控制山间断陷盆地,并使早期断裂成为断层角砾岩	↓	裂陷作用		
燕山旋回	D7	缩	EW 向高角度逆断层继承迁就原来的断裂,使马超营断裂角度变陡,断带内断层角砾岩发育	← SN	脆性剪切变形	热液蚀变	隐爆角砾岩;黑云二长花岗岩侵入
	D6	伸	南坪 NNE 向高角度张扭性正断层为代表的含矿断裂	→ NNW	脆性剪切破裂变形		
	D5	缩	马超营、南天门等近东西向逆冲推覆构造;倒转、平卧盖层褶皱发育	← S	脆-韧性剪切(推覆)变形	热液蚀变	
印支—海西旋回	D4	伸	顺层韧性剪切带及多层次滑脱拆离断层系	→ NNW	韧性、韧-脆性剪切(滑脱拆离)变形	进变质作用绿片岩相	正长(斑)岩侵入(318 Ma)
加里东旋回	D3	缩	马超营断裂切穿盖层,台缘褶皱发育,下盘岩石糜棱岩化	← SN	弹塑性、变质固态流变变形	区域变质作用低绿片岩相	
熊耳旋回	D2	伸	地幔上隆,导致地壳破裂,三叉裂谷系形成;偏碱性中基性-中酸性火山、喷溢活动	↓	裂陷作用		中基性、中-酸性火山岩
嵩阳旋回	D1	缩	原始中-基性火山喷发沉积物褶皱隆起,发生变质,混合岩化作用,形成绿岩系建造,始地壳形成	← SN	弹塑性纵弯曲变形	区域变质作用角闪岩相	

二、熊耳旋回

D2:基底裂陷作用

经过吕梁运动和广泛的区域变质作用使华北陆块全部固结,在华北陆块南缘已固结的大陆壳基底之上,中元古宙前 18 亿~14 亿年,又进入以伸展作用为主的构造环境。这是由于构造上的不均匀性和地球内部热场的不均衡性,导致古大陆板块之下出现地幔热点,地壳上隆,导致破裂,即在豫、陕、晋交界产生陆间三叉裂谷。在裂谷系内,伴随着裂陷作用,形成一条高热流、高化学能带,使早期形成的硅铝壳发生熔融,地下岩浆沿裂谷带上溢,形成了具有早期裂谷性质的熊耳群双峰式偏碱性火山岩系。这套裂谷型火山系以富钾、富铁为突出特点的安山岩类为主，并以富含 Au 元素为特征。在熊耳山地区形成厚达 7 000 余 m 的熊耳群火山岩系，被认为是华北陆块南缘的第二个富金岩系。

根据物探资料推测，华北陆块南缘的熊耳裂谷带大致位于熊耳山主峰的上戈—全宝山—秋扒—付店一线，它横卧熊耳山腹地，是一条隐伏的近东西向大断裂。断裂产状陡立，稍向北倾斜。区内马超营断裂基本为熊耳群火山熔岩大规模喷发边界，即初始三叉裂谷系的南部边界断裂。

古马超营断裂可能形成于中元古代早期，这一时期也是南侧宽坪群裂陷形成时期。很可能在中元古代末期发生叠接，成为华北原地台南缘的叠接带。这一时期区域应力场仍为南北向拉张阶段，伸展运动并未停止，随着裂陷作用不断发展，裂谷继续扩张，在熊耳群之南一直沉降，形成一狭长的边缘海，同时接受滨海-浅海相碎屑-碳酸盐岩沉积，形成官道口群、栾川群、汝阳群及洛峪群等。在官道口群碳酸盐岩沉积过程中，Pb、Zn、Ag 等元素在海相沉积物中具有较高的初始丰度值。

随着熊耳—栾川运动的结束及加里东旋回的开始，本区地壳演化和构造变形场发生了重大的改变，产生南北向挤压收缩，褶皱造山运动开始。

三、加里东变形旋回

D3：挤压收缩褶皱造山

这是区内一期定型构造，由此奠定了本区近东西向的基本构造格局。继熊耳—栾川旋回长期的伸展裂陷构造发育之后，本区构造变形场由伸展体制转化为收缩体制，成为秦岭褶皱系的一次主要造山运动。由于这一阶段延续时限长（达 2 亿~3 亿年之久），因而构造活动机制相当复杂。主要表现为地幔萎缩，导致地壳南北向挤压收缩，变形以强烈褶皱和塑性固态流变构造为特征。这时的古马超营断裂带以逆冲韧-脆性剪切为特征，切穿了熊耳群及官道口群盖层重新活动，并控制了南北两侧的构造变形及热动力区域变质作用等。断裂南侧的地台南缘部分，构造活动强烈，变形较为复杂，形成一系列北西西向紧密线状的直立褶皱系，并发育透入性轴面片理，使熊耳群、官道口群的原岩遭受了强烈的改造，形成具有片理的岩石，此时洛南—栾川台缘褶皱带的基本面貌业已形成。在此阶段，主褶皱系完成以后，出现了平行马超营断裂的一系列高角度逆冲断层和这个方向的劈理化带，它们破坏了已经形成的褶皱构造。

由于马超营断裂对应力的消减作用，断裂北侧华熊台隆构造活动相对较弱，出现开阔宽缓的向斜构造。其中发育稀疏的正扇形劈理。

从本期构造的几何特征看，它是在近南北水平挤压下，以纵弯褶皱作用为主导伴有压扁作用的结果。属中部构造层次的以弹塑性弯曲变形为主，并伴有韧-脆性构造变形相的特征。

四、海西—印支变形旋回

D4：滑脱拆离断层

加里东期以后的海西—印支期，北秦岭和华北陆块南缘的构造演化进入了一个新的时期。依强大的南北向水平引张作用，使秦岭地槽形成一系列断陷盆地。北秦岭地区的上古界小寨组和上三叠统沉积即受该断陷机制控制，同时伴有大量碱性岩浆活动上侵，形成线性岩体、岩脉群。这时的华北陆块南缘熊耳山南麓地区，表现为普遍隆起，沿台缘隆褶带（马超营—重渡）一线，基底太华岩群变质杂岩广泛裸露。沿基底岩系北缘产生单边向北滑脱拆离，形成颇具规模的向北倾斜的滑脱拆离断层系及其下伏变质核杂岩体。区内这些隆起的成因尚不太清楚，但可能与地幔隆起关系密切。

华北陆块南缘，在这一时期的伸展滑脱构造非常典型，是继 D3 之后再次发生近南北向伸展作用而形成的滑脱拆离构造。它是发育在区内马超营—重渡隆起的背景上，由一系列大型韧性、脆-韧性和脆性正断层组成拆离断层系。在垂向上，下部岩层受到强烈韧性剪切变形，形成宽达 0.5～4 km 的韧性剪切带；中间层次为韧-脆性剪切变形带，也为一般地质图上所标出的马超营断裂带。而广义的马超营断裂带应包括下部层次的韧性变形带；浅部层次呈脆性剪切变形，形成铲状正断层，岩石基本未变质。据重力资料，马超营主拆离面向北陡倾，其深部位于灵宝—洛宁一线，由此可证实在深部马超营拆离断层为一近水平的拆离滑脱面。目前，裸露于地表的韧性剪切带和韧-脆性断层带，即为伸展构造机制下深层次和中浅过渡层次的剪切产物。这一时期地壳深层次塑性流变活动，为金的活化、迁移初始富集起到了重要的作用，尤其是韧-脆性断层带表现最为明显。在康山、红庄、秋扒一带，沿马超营韧-脆性拆离断层带出露的宽达 100～400 m 的含金蚀变岩带（贫矿体含 Au 0.1～0.9 g／t）即为典型代表。在康山、横岭山、南坪、前河等地段已形成具有工业意义的金矿体。伴随该期伸展拆离剪切作用并有深源碱性岩浆活动，形成颇具规模的线性碱性岩脉（墙），多成群成带分布于糜棱岩带南侧的官道口群地层中。据卢欣祥等研究（1987），测区东部的磨沟岩体含金达 70×10^{-9}，说明该碱性岩具有较高的金丰度值。在空间上与伸展构造密切相关，因此它们属于伸展拉张构造背景制约的深源岩浆活动的产物。碱性岩的侵入不仅提供了金的物质来源，也为金的活化聚集创造了有利的物理化学条件。

大量事实说明，该期的构造热事件是本区以金为主的内生多金属矿产成矿的强大驱动力，它对本区金矿的形成起到了重要的作用。

五、燕山变形旋回

D5：逆冲推覆构造

燕山运动使东秦岭转入一次强烈的碰撞型造山构造（A 型俯冲）演化阶段，也可以说转入了一个新的板内构造演化时期。其特征是，受该造山机制的影响，华北陆块南缘地壳处于强烈压缩环境，自北而南发育一系列大规模的叠瓦式逆冲推覆构造和酸性岩浆活动。该期构造突出而强烈，塑造了现今秦岭带的基本面貌。因此，从一定意义上讲，它并不亚于先期造山作用和伸展作用的又一期"陆内造山作用"。

首先，在区内形成一系列逆冲推覆构造。和与推覆构造息息相关的平行褶皱。突出者为马超营和南天门两条纵贯全区的逆冲断裂，它们在地表均显示往北陡倾向南逆冲的性质。此两条断裂带将测区分为依次叠置的强烈变形的三个逆冲岩席，各岩席间并有相当大的位移和压缩。

由于该期的逆冲推覆作用的水平挤压，导致前期拆离断层及其南侧的先期褶皱更加复杂化。分割测区三个构造岩席的两大断裂，特别是马超营逆冲推覆断裂，它继承迁就了早期伸展滑脱面，向南逆冲推覆，使早期构造被强烈改造。如区内西自卢氏西康岭，东至狮子庙红庄，沿马超营推覆断裂带，在东西长达 30 km 区段内，断续出露宽度仅几米或几十米，宽者300 余 m，呈窄条带状的推覆岩片产出。这一较稳定的地质体在本区是十分独特的，它与马超营推覆断层形影相随。研究表明，它是早期主拆离断层带内的官道口群断块，受该期推覆作用的改造而残存的推覆岩片。断裂之南的褶皱变形由直立→斜歪→倒转以至平卧的一系列平行褶皱，在挤压十分强烈的褶皱核部，可发育轴面流劈理，前期的糜棱岩带也卷入了该期褶皱。已有大量的野外资料证实，区内这期平行褶皱与推覆构造息息相关。我们认为，区内在深部存在一滑脱面，至少在马超营断层以南的熊耳群下部，尚存在构造滑脱面，基底没有同时卷入变形，盖层变形的褶皱-逆冲带终止于这巨大的滑脱面之上，所以盖层变形与基底构造成显著的不协调关系。

伴随该期逆冲推覆作用，并有大规模酸性花岗岩浆的强烈活动，造成了区内特征的热动力环境，形成了区域发育的轴向近南北以花岗岩体(或隐伏岩体)为中心的穹隆构造。例如测区西部的狮子庙隐伏岩体；位于合峪、花山两个侵入体之间的旧县隐伏岩体和合峪花岗岩基以及南部的老庙沟花岗斑岩体等。

由于自北向南的推覆作用，在马超营推覆断层北盘(上盘)发育一系列区域性北东向剪切带，如星星阴—上宫断裂、焦园断裂、旧县断裂和东部的碓臼沟断裂等，这组断裂呈近等距性分布，并与近东西向的马超营剪切带交接、复合，为岩浆及含矿热液活动提供了有利的构造条件。由于断裂构造作用和岩浆活动，促使地下热水循环，使先期的马超营含金构造带中的金元素再次活化迁移、聚集，在两断裂交会部位形成富矿体。所以说该期逆冲推覆作用对金矿的加富改造起着重要作用。

D6：南北向松弛拉张作用

这是叠加在推覆构造之上的一期高角度正断层，是继 D5 之后或稍晚的一次局部性南北向松弛伸展作用的标志。其产物主要表现为脆性剪切，形成规模较小的北北东、北北西和近南北向的含矿断裂构造。如康山地区的北北西向、南坪一带的北北东向和庙岭矿区的南北向含金断裂带等。

D7：东西向断层的逆冲剪切活动

该期断层为高角度逆断层，为由北向南逆冲，在某种程度上多改造或继承了先期东西向断裂，使马超营断层角度变陡。与断层相伴的断层岩属碎裂岩系列，局部地段断层在活动过程中发生碎裂流动，形成一定的定向组构。断层附近的许多构造标志表明，本期构造属上部构造层次的脆性剪切破裂变形相。逆冲方向总体为南南西，反映了近南北向的地壳收缩。

六、喜马拉雅期变形旋回

D8：喜马拉雅早期的伸展构造

这一世代的伸展构造，实际上是从晚白垩纪开始的，并一直延续到整个新生代。这是豫西山区继燕山主期陆内造山阶段之后，重新出现的另一种格局的构造。它主要表现为差异性升降，进入以盆岭为特征的伸展构造体制演化阶段。

本阶段豫西山区总体处于伸展状态，以发育高角度正断层和盆地构造为特征。高角度正断层大量为继承迁就原来的断裂，使先期的多数断裂角度变陡；性质转变为差异升降和扭动。因此，区内长期活动的北西西向及北东向大断层喜马拉雅期为张性特征，并使早期的构造岩成为断层角砾。此外还发育有一些新的断层，同样为高角度正断层。在这些断层的控制下形成各种山间断陷盆地。其中最东部为区内的潭头-嵩县盆地；中部出现洛宁-卢氏盆地；西部则为灵宝-朱阳盆地。以上盆地沉积地层的时代为早第三纪和晚白垩世。在上述盆地之间则为与其展布方向近于平行的熊耳山、崤山、小秦岭等断块山(隆断区)，盆地和隆断区的地形高差为数百米至上千米，显示出壮观的盆岭地貌特征。

区内潭头-嵩县盆地是受两组断裂控制的，盆地南界为马超营断裂所控制，南东侧受旧县北东向断裂所控制，北西侧与熊耳群呈不整合接触。盆地北西侧为熊耳山隆断区，南东侧为外方山隆断区。实际上该盆地是一种半地堑式的掀斜式构造盆地，它是地壳伸展过程中形成的。显然，测区在燕山期经过强烈的挤压造山之后，燕山末期及喜马拉雅早期已处于一种新的构造演化阶段，即以山间断陷为特征的伸展演化阶段。

D9：收缩构造

第三纪晚期地壳出现南北向挤压，断陷盆地又一次活动，使已成岩的上白垩统—下第三系发生倾斜、褶皱，并在红层中出现轴向近东西的宽缓褶皱（潭头—上雁坎向斜），该期南北向的挤压使近东西向的马超营断裂带和与之平行的断裂组再次活动产生脆性剪切改造，断裂带中广泛发育两组扭(兼压)性裂面，切穿断裂，破坏矿体，为最后一期活动。

D10：松弛拉伸作用

区内上第三系的零星分布，并与下第三系呈不整合接触，表明早第三纪晚期南北向挤压之后的又一次伸展构造。上第三系仅零星发育在断陷盆地中及马超营断裂带内或其两侧，反映区内该期近南北向拉伸应力状态的不均衡性，及与早第三纪地层沉积又具有先后的继承性。

总之，熊耳山缘马超营断裂系统为华北陆块边缘的一条大断裂，它具有长期复杂的演化活动历史，由于其处于敛合块边缘带上，它和华北板块与秦岭板块结合带一样，都经过了复杂的开—合史。挤压与引张不但交替进行，而且具有继承性和周期性。这为本区金矿的成生创造了有利的构造条件，其中海西—印支期伸展滑脱拆离构造及燕山期自北而南的推覆构造对成矿起着重要作用。马超营韧-脆性剪切带，为成矿最有利地带。

第四章 主要金矿类型及特征

马超营断裂带主要金矿类型有构造蚀变岩型金矿床、含金石英脉型金矿床及爆破角砾型金矿床。区内多数金矿床(点)属前种类型。

第一节 构造蚀变岩型金矿床地质特征

马超营断裂带目前已发现构造蚀变岩型金矿床、矿点(矿化点)近 20 处，按照赋矿地层不同可分为：产于熊耳群火山岩中的构造蚀变岩型金矿，产于太华岩群变质岩系中的构造蚀变岩型金矿和产于官道口群碳酸盐岩、碎屑岩中的构造蚀变岩型金矿。下面以前河金矿为主，结合康山—星星阴、红庄、北岭、庙岭等矿床来讨论构造蚀变岩金矿的特征。

一、区内构造蚀变岩型金矿的成矿地质背景

(一)赋存地层

前河金矿的赋存地层为熊耳群鸡蛋坪组流纹斑岩、英安岩及安山岩和马家河组安山岩、杏仁状安山岩夹凝灰岩。

康山—星星阴金矿的赋矿地层主要为太华岩群混合片麻岩、斜长角闪片麻岩和黑云斜长片麻岩等及熊耳群大古石组长石石英砂岩和许山组安山岩、英安岩等。

红庄金矿的赋矿地层主要为熊耳群鸡蛋坪组和马家河组，前者主要岩性为流纹(斑)岩、英安岩夹安山岩，后者岩性为安山岩夹玄武安山岩及粗面岩、大斑安山岩。

北岭金矿和庙岭金矿的赋矿地层分别为熊耳群马家河组和鸡蛋坪组，前者主要岩性为粗安山岩、安山岩、粗面岩夹粉砂质泥板岩，后者主要为流纹岩夹流纹质凝灰岩、英安岩夹安山岩。

窟窿山金矿赋存于官道口群白云质大理岩中。

从上可知，本区熊耳群各组地层除龙脖组无该类型金矿分布外，其他各组均有构造蚀变岩型金矿产出。

(二)构造

前河金矿区位于华熊台隆南缘的马超营断裂带之中，矿床严格受断裂控制。矿区断裂构造发育，大小有 19 条，走向主要为近东西向，次为北东向。主要控矿的近东西向断裂带由 4 条大致平行的断裂组成，形成宽数米到数十米的构造蚀变带。金矿体主要赋存在 F4 断裂中(见图 4-1)。F4 断裂在矿区长度 3 800 m，破碎带宽 5～30 m，总体走向 110°倾向北东或北西，倾角 55°～75°，平均 65°，断裂沿走向有膨缩，分支复合现象。断裂具多期活动的特点，由于破碎带经历了不同期次、不同性质、不同方向的构造应力的叠加改造，在破碎带内发育初糜棱岩、碎裂岩、断层角砾岩、断层泥等韧脆性-脆性变形岩石，并有强烈钾化、硅化、绿帘石化、绢云母化、黄铁绢英岩化等蚀变。

康山—星星阴金矿和红庄金矿均产在马超营断裂带内，其中康山—星星阴金矿总体受北东向星星阴—上宫断裂与近东向马超营断裂交会部位的控制。矿区内断裂构造十分发育，以北东向和北北东向韧脆性断裂为主，其走向 5°～50°，倾向北西，倾角 60°～88°，断裂长数十米至 2 300 m，宽数十厘米至数十米，具韧脆性-脆性变形的特点。矿体严格受上述两组断裂控制(见图 4-2)。

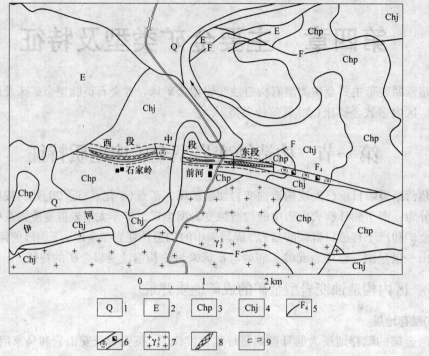

图 4-1　嵩县前河金矿区地质草图

（据：河南省地调一队资料，有修改）

1—第四系；2—第三系；3—长城系熊耳群马家河组；4—熊耳群鸡蛋坪组；5—断层及断层编号；
6—断裂蚀变带；7—燕山晚期斑状二长花岗岩；8—金矿体；9—矿段

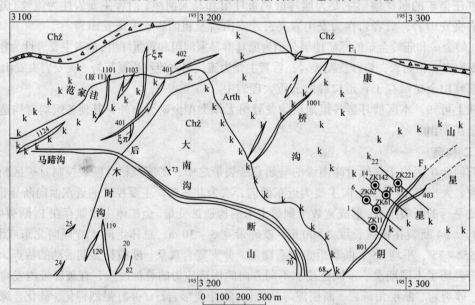

图 4-2　栾川县白土乡康山金矿和范家洼—星星阴地段地质草图

（据中国人民武装警察部队黄金十四支队资料，有修改）

1—长城系安山（玢）岩；2—变长石石英砂岩；3—太华岩群黑云（角闪）斜长片麻岩；4—含金蚀变破碎带及编号；
5—正长斑岩脉；6—断层破碎带；7—断层及推测断层编号；8—地层不整合界线；9—伸长石化带界线；
10—地层产状；11—钻孔位置及编号；12—勘探线及编号

红庄、横岭山、南坪金矿位于北东向焦园断裂与近东西向马超营断裂带的交会部位，矿区断裂发育，主要为近东西向，次为北东向，前者规模大，走向延伸数千米，宽数米至数十米，走向 270º～280º，倾向北—北东，倾角 45º～85º，断裂具多期活动特点，经历了韧性–韧脆性–脆性多期变形变质作用。后者规模小，走向长数十米至 500 余 m，宽数厘米至 2.5 m，走向 30º～55º倾向北西，倾角 40º～75º具韧脆性–脆性变形特点。

北岭、庙岭金矿、萑香洼金矿分布在马超营断裂带的北侧。前者受北西向次级韧脆性剪切带控制，后者受近南向韧脆性–脆性剪切带控制。

(三)侵入岩

前河金矿区南侧出露合峪斑状二长花岗岩。

康山—星星阴金矿区侵入岩为正长斑岩等脉岩，附近有花岗斑岩脉分布。

红庄一带侵入岩主要为辉长岩脉，钻孔深部见花岗斑岩脉。

庙岭金矿区见有花岗岩脉、闪长岩脉、正长岩脉，规模一般较小。

二、矿床地质特征

(一)矿体形态、规模及产状

前河金矿床。金矿体严格受近东西向断裂控制。含金构造蚀变带长 3 800 m，宽 5～30 m，分为东、中、西三个矿段(见图 4-1)。东矿段位于蕳沟口—沟脑分水岭，矿带长 1 100 m，宽 5～30 m，平均 20 m。东矿段共圈定金矿体三个，以Ⅳ–1 号矿体规模最大，矿体长度 830 m，厚度最大 14.97 m，平均 3.05 m，呈不规则脉状、豆荚状，沿走向及倾向具膨缩、分支现象(图 4-3)，产状 88 线以西走向95º，以东走向110º，倾向北东，倾角58º～76º，平均 67º，具浅部缓深部变陡之特点。金品位最高为 238.0 g／t，平均 7.87 g／t。庙岭、康山—星星阴、红庄、北岭等金矿床矿体特征见表 4-1。

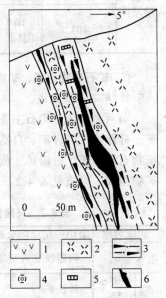

图 4-3 前河金矿矿体剖面图

1—安山岩；2—流纹岩；
3—糜棱岩化碎裂岩；4—硅化；
5—黄铁矿化；6—金矿体

表 4-1 马超营断裂带主要构造蚀变岩型金矿床矿体特征

矿床名称	矿(脉)体编号		矿体规模	形态	产状	平均品位(g／t)
庙岭	Ⅰ号矿脉	1 号矿体	长度 330 m，最大斜深 250 m，平均厚 3.97 m	矿体呈似层状、脉状、透镜状	倾向 260º～280º，倾角38º～40º	5.58
		2 号矿体	位于 1 号矿体间断延深部位，厚 2.27 m			2.22
		3 号矿体	规模小，平均厚 1.63 m			3.04
		4 号矿体	长 132 m，斜深 265 m，平均5.49 m			3.12
北岭	F881		矿体长 605 m，最大厚度 14.65 m，一般为 1.5～2.5 m，平均 2.63 m，延深 495 m	矿体为一大板状或脉状	倾向 195º～235º，倾角 35º～55º(地表倾向平均210º，倾角45º)	全区平均5.47

矿床名称	矿(脉)体编号	矿体规模	形态	产状	平均品位(g／t)
红庄	1号矿体	长度 130 m，平均厚度 3.85 m	矿体呈脉状，沿走向具膨大狭缩分支复合特点	总体走向 275°～285°，倾向 5°～15°，倾角 50°～70°	3.07
	2号矿体	长度 405 m，平均厚度 2.52 m			1.73
	3号矿体	长度 315 m，平均厚度 2.53 m			1.76
康山—星星阴	1101	地表出露长 240 m，深部控长 305 m，最大延深 195 m，厚度 0.38～7.06 m，平均厚度 2.21 m	脉状，走向和倾向上呈波状延伸，有膨胀、收缩和分支复合现象	走向 0°～50°，倾向西—北西，倾角 65°～88°	12.72
	401	南矿体长 60 m，厚度 2 m，北矿体长 35 m，厚度 0.87 m		走向 45°，倾向北西，倾角 50°～85°	南矿体 6.86，北矿体 5.75

(二)矿石矿物组成、矿物生成阶段及其标型特征

1. 矿石矿物组成

前河金矿床金矿石主要金属矿物有黄铁矿、方铅矿、闪锌矿、黄铜矿、磁黄铁矿、白钨矿、硅锌矿、红锌矿、自然金、银金矿等。主要脉石矿物有石英、钾长石、方解石等。次生矿物有褐铁矿、白铅矿、黄钾铁矾、针铁矿。马超营断裂带主要构造蚀变岩型金矿床矿石矿物组成一览表见表 4-2。

表 4-2　马超营断裂带主要构造蚀变岩型金矿床矿石矿物组成一览表

矿床名称		康山—星星阴金矿	红庄金矿	前河金矿	北岭金矿	庙岭金矿
矿床工业类型		构造蚀变岩型	构造蚀变岩型	构造蚀变岩型	构造蚀变岩型	构造蚀变岩型
金矿矿物	主要＞5%	黄铁矿	黄铁矿	黄铁矿	黄铁矿	黄铁矿
	次要＞1%	黄铜矿、方铅矿	方铅矿、闪锌矿	方铅矿		
	微量＜1%	闪锌矿、斑铜矿、磁铁矿、菱铁矿、自然金、银金矿	黄铜矿、赤铁矿、自然金	闪锌矿、黄铜矿、磁铁矿、白钨矿、硅锌矿、钛铁矿、自然金、银金矿、斑铜矿	白铁矿、方铅矿、闪锌矿、黄铜矿、辉铜矿、辉钼矿、毒砂、自然金、自然银、碲金矿、碲金银矿、碲银矿、斜方碲金矿、碲铅矿、磁铁矿、赤铁矿	方铅矿、闪锌矿、黄铜矿、辉铜矿
非金属矿物	主要＞5%	石英、绢云母	石英	石英、钾长石、绢云母	石英、钾长石、绢云母	石英、长石、绢云母
	次要＞1%	钾长石、铁白云石、白云石、铁锰碳酸盐矿物	绢云母、钾长石、铁白云石、白云石	黑云母、绿泥石、萤石、白云石、绿帘石	铁白云石、方解石、高岭石、菱铁矿	铁白云石、方解石、高岭石
	微量＜1%	绿泥石、绿帘石、方解石、高岭石、钠长石	绿泥石、重晶石、方解石	石榴石、榍石、金红石	绿泥石、绿帘石、重晶石、磷灰石、萤石、角闪石、锆石、榍石	黑云母、钾长石、明矾石、重晶石、萤石
表生矿物		褐铁矿、孔雀石、铜蓝、白铅矿、赤铁矿	褐铁矿(钛铁矿)、铜蓝、白铅矿	褐铁矿、白铅矿、黄钾铁矾、针铁矿	褐铁矿、铜蓝	褐铁矿、赤铁矿、铜蓝、蓝辉铜矿

2. 矿物生成阶段

根据蚀变矿化的矿物组合、脉体的穿插关系及矿石构造特征等差异，将不同矿床热液期蚀变矿化形成的矿物从早到晚划分为不同的生成阶段。

前河金矿床热液期矿化阶段及矿物生成顺序见表 4-3。

表 4-3　前河金矿床矿化阶段及矿物生成顺序

矿物名称	热液期				表生期
	第一矿化阶段	第二矿化阶段	第三矿化阶段	第四矿化阶段	氧化作用阶段
原岩钾长石	—	—	—		
热液钾长石	—	—	—		
黑云母	—	—			
电气石	—				
金红石	—				
钠长石					
绢云母		—	—		
黄铁矿		—	—	—	
石英		—	—	—	
自然金		—	—	—	
银金矿		—		—	
萤石			—		
绿泥石			—		
闪锌矿		—	—		
黄铜矿		—	—	—	
磁黄铁矿		—	—		
方铅矿			—	—	
白钨矿			—		
方解石		—			
斑铜矿				—	
红锌矿					—
硅锌矿					—
白铅矿					—
黄钾铁矾					—
褐铁矿					—

1）热液期

康山—星星阴金矿床热液期矿物生成可划分为 5 个阶段。

（1）钾长石阶段。表现为钾长石呈微-细粒集合体交代原岩长石等矿物，形成钾长石蚀变岩，其是成矿前高温富 K_2O 溶液渗透扩散交代产物，钾长石呈面型带状分布，由于形成温度高，一般无硫化物及金矿化。

（2）黄铁矿-石英阶段。主要为硅化，其次伴有少量黄铁矿化，在构造带内硅化强烈地段，热液充填交代为主时，形成早期含很少黄铁矿的石英脉，同时在石英脉旁侧围岩及糜棱岩带内，产生弱硅化、绢云母化及黄铁矿化。该阶段以形成含自形浸染状立方体晶形黄铁矿为特征。

（3）自然金-石英（绢云母）-黄铜矿-黄铁矿阶段。在上述蚀变矿化基础之上，当叠加韧脆性变形时，含矿热液沿早期石英脉网状裂隙溶蚀交代，主要产生黄铁矿化、黄铜矿化，伴有弱硅化、绢云母化、金矿化，有时有少量方铅矿化、闪锌矿化、重晶石化及白云石化等，形成石英黄铁矿型金矿石及黄铜矿、黄铁矿型金矿石。当热液强烈交代石英脉近侧围岩及构造蚀变岩时，产生强烈硅化、绢云母化、白云石化，并伴有大量黄铁矿化，同时有金矿化，则形成构造蚀变岩型金矿石。

(4)自然金–多金属硫化物阶段。以同时出现数量较多的黄铁矿、闪锌矿、方铅矿、黄铜矿组合为特征，伴有自然金矿化及硅化、碳酸盐化，有时有绿泥石化等，形成多金属硫化物型金矿石。

(5)碳酸盐阶段。该阶段白云石或方解石呈细脉沿裂隙穿插早期形成的矿石或岩石，无金属矿化。

2)表生期

主要形成褐铁矿、黄钾铁矾、白铅矿、铜蓝、孔雀石等。

红庄金矿矿物生成阶段可分为：①钾长石阶段；②黄铁矿–石英阶段；③自然金–多金属硫化物阶段；④晚期碳酸盐阶段。

3.矿物标型特征

1)金矿物标型特征

(1)赋存形式：金矿物主要分布于脉石英及各种硫化物中，其嵌布形式有包体金、裂隙金、粒间金。其中粒间金最多，呈他形，星散状嵌布于黄铁矿、方铅矿、闪锌矿、石英及磁铁矿粒间或绢云母集合体、钾长石化及萤石中。裂隙金呈微脉状、显微粒状嵌布于石英、黄铁矿等矿物裂隙中，包体金呈他形粒状包于石英、黄铁矿等硫化物中。

(2)颜色、形态及粒度：自然金呈金黄色或深黄色、浅黄色，银金矿呈黄白色、赤紫色、带褐色的金黄色和金黄色。形态主要为片状、粒状、树枝状、蜂窝状、姜状、柱状等。据前河金矿床5 632粒金矿物的形态统计，片状占31.88%，柱状占9.07%。这些金矿物形态，通常被认为是金矿床上部金的形态标型特征。

(3)密度、硬度：前河赤紫色的银金矿实测密度值为12.58 g／cm³，金矿物的显微硬度最高58.4 kg／mm²，最低34.0 kg／mm²，平均43.53 kg／mm²，显微硬度随银增加而降低。

(4)自然金、银金矿的化学成分特征：前河金矿矿物成分电子探针分析结果见表4-4，从表中可以看出，金矿物中含银较高，自然金中银含量最高16.45%，最低4.36%，银金矿中银含量最高46.13%，最低20.38%。金矿物中含银较高说明矿床在中深部中温带形成。

表4-4　前河金矿矿物成分电子探针分析结果

标高(m)	样号	矿物名称	成分含量(%)		成色(%)
			Au	Ag	
635	S10	自然金	83.19	16.45	835
620	D3	自然金	83.57	16.11	838
620	D3	银金矿	77.46	22.69	773
620	D3	银金矿	69.94	30.04	700
610	C4	银金矿	54.44	46.13	541
610	C4	银金矿	79.36	20.38	796
610	C4	银金矿	73.57	26.40	736
610	C4	银金矿	64.52	34.72	650
605	YS1–4	自然金	86.98	11.26	885
605	YS1–4	自然金	95.64	4.36	956
560	YS2–5	自然金	91.16	8.19	917

2）黄铁矿

黄铁矿是最重要的含金矿物，具有以下标型特征：

（1）晶形。黄铁矿晶形从早到晚变化是立方体→以五角十二面体为主→立方体与五角十二面体及其聚形，自形程度从自形→半自形→他形。早期含金性差。

一般认为在较高温度或较低温度下，快速冷却、硫逸度小等条件下形成立方体单形，在中温、缓慢冷却、硫逸度大等环境下常形成五角十二面体单形，它常是矿化富集地段的代表。不同晶形的黄铁矿，含金性差别较大，前河金矿黄铁矿立方体含金 1.39 g/t，他形含金 65.1 g/t，五角十二面体含金 753.0 g/t。据郭志敏（1991）研究，自矿体的下部→上部，黄铁矿的结晶顺序从早到晚经历了立方体、立方体+五角十二面体→五角十二面体+立方体或八面体→立方体或八面体的变化过程。从前河金矿Ⅳ−1 号矿脉不同标高的 1 179 粒黄铁矿晶形统计结果发现，其中五角十二面体占晶形总数的 53.51%。

（2）粒度。构造蚀变岩型金矿中黄铁矿粒度较细，前河、北岭、庙岭金矿黄铁矿粒度多为 0.002~0.2 mm，红庄金矿黄铁矿较粗。一般粒度细者含金性好，北岭金矿细粒度黄铁矿含金 98.3 g/t，前河细粒黄铁矿含金 753.0 g/t。

（3）密度：早期形成的黄铁矿密度小于 5.00 g/cm³，含金性差。主矿化阶段黄铁矿的密度大于 5.00 g/cm³，一般含金性好。前河金矿矿体深部黄铁矿密度小，含金相对低，矿体中上部黄铁矿密度大，含金相对高。

（4）显微硬度、反射率及晶胞参数。在同一矿床（体）中，黄铁矿含金较高者，显微硬度较小，而含金较低者硬度较大。区内金矿中黄铁矿与纯黄铁矿（黄绍峰，1987）相比，反射率都具较低的特点（见表 4-5）。晶胞参数为 5.410 0~5.419 5。

表 4-5　黄铁矿显微硬度、反射率测定结果表

矿床名称	样　号	显微硬度（kg/mm²）	反射率（μm/%）	金含量（g/t）
康山—星星阴		1 532	590/54.1	4.26
		1 378	590/53.1	28.18
红庄		1 422	594/53.4	5.89
		1 303	590/53.4	
前河（甚沟东段）	S−10	1 096	589/53.17	77.50
	YS1−3	1 008	589/56.43	84.90
	YS1−7	842	589/54.59	200.96
	YS1−8	1 078		33.06
	YS2−4	976	589/55.41	37.25
	YS2−5	975	589/55.00	158.42

注：纯黄铁矿反射率 599 μm 为 55.0%。

（5）电热系数：黄铁矿是半导电矿物，黄铁矿的热电性的产生与成矿温度有一定关系，类质同象的置换规律是高温条件下高价阳离子容易进入黄铁矿的晶格中，常形成 Co、Ni 代替 Fe 现象，所以产生电子导型（N 型），在低温条件下，因 As、S 等元素易挥发集中在热液上部，产生高价阳离子 As 代 S 的现象，形成空穴型（P 型）。由此可知，黄铁矿的热电性与 Co、Ni、As 等杂质进入其晶格有关，根据一般热液矿术原生晕的垂向分带，Fe、Co、Ni 元素多集中在下部，S、As 元素多集中在上部，所以下部黄铁矿中含 Co、Ni 高为 N 型，上部低温区多为 P 型，中温区多为混合型。区内金矿床早期形成的含金较低的黄铁矿，均属电子

导型（N 型）负热电效应，未出现空穴导型（P 型）正热电效应，而主成矿阶段含金较高的黄铁矿，具混合型或只具有电子导型负热电效应。这说明本区金矿床成矿早期温度高，Co、Ni 元素含量高，主成矿阶段温度低（中低温为主），钴含量较低。

(6)微量元素含量：早期高温下形成的黄铁矿以 Au、Ag、As 含量低，Au／Ag 值小，Co／Ni、Se／Te 值较大，Pb、Zn、Cu 含量低为特点。多金属硫化物阶段，Cu、Pb、Zn 含量高。前河金矿主成矿阶段的黄铁矿，以含 As 特高，Pb、Au 高，Co、Ni 含量相对较高，S／Se(569 247)值大为特点。同时由于产出的标高不同，黄铁矿中各元素比值也呈有规律的变化，如 Co／Ni 值深部大，浅部小；S／Se、Se／Te 值则深部小，浅部大，矿上晕元素 Ba+As+Sb+Ag 与矿下晕元素 Co+Ni+Cr+Ti+V 之比值，具由浅向深部逐渐变大的特点（见表 4-6）。红庄、北岭、康山金矿黄铁矿中各元素比值见表 4-7。黄铁矿化学成分见表 4-8。

表 4-6　前河金矿Ⅳ-1 号矿脉不同标高黄铁矿中各元素比值

标高 (m)	样品编号	元素比值					
		S／Fe	Co／Ni	S／Se	Se／Te	Au／Ag	$\dfrac{Ba+As+Sb+Ag}{Co+Ni+Cr+Ti+V}$
635	S-10	2.01	1.76	712 266	8.42	1.19	4.06
620	D3	2.01	2.13	489 000	0.58	0.62	1.86
	D4	2.02	0.91　1.52	867 580	1.24	5.02	2.62　2.24
605	YS1-3	2.01	0.95	446 666	6.00	1.53	4.43
	YS1-7	2.01	1.53　1.92	535 300	1.82	3.65	3.78　3.11
	YS1-8	2.01	3.27	534 500	1.33	0.66	1.14
560	YS2-4	2.00	2.42	446 666	0.01	0.16	1.70
			2.26				5.82
	YS2-5	1.96	2.14	522 000	0.53	1.44	9.94
平均值		2.00	1.89	569 247	1.49	1.77	3.69

注：据河南省岩石矿物测试中心资料(1991)。

表 4-7　黄铁矿中各元素比值

矿床名称	生成阶段	S／Te	Co／Ni	S／Se	Au／Ag
康山—星星阴	黄铁矿-石英	0.38	1.70		0.15
	金-多金属硫化物	0	2.00		0.32
红　庄	黄铁矿-石英	0.05	8.77		0.38
	金-多金属硫化物				
横岭山	黄铁矿-石英		1.26	186 561	0.016
北　岭	金-多金属硫化物		3.00		3.27

总之，黄铁矿中 Au、Cu、Pb、Zn、Ag 含量高，Au／Ag 值大，Co／Ni 值小是本区黄铁矿的重要找金标型特征及找矿矿物标志。

3)方铅矿

区内金矿床的金属矿物中方铅矿的含量仅次于黄铁矿，多呈浸染状、细脉状或粒状集合

表 4-8　黄铁矿矿化学成分

矿床名称	样品编号	高程(m)	Au	Ag	Pb	Zn	Cu	As	Sb	Bi	Se	Te	Cr	Co	Ni	Mo	W	Fe	S
康山—星星阴	XX-DF2-Y		1.23	8.0	195.0	32.0	243	11	3.5	33.40	0	3.8	1.0	184	102.0	0.7	10.8	43.60	50.02
	DF1/43-PD4-Y		7.2	64.0	4 067	1 110.0	362	90	6.0	226.0	0.82	0	1.0	302	57.0	2.2		46.08	51.55
	DF2/KS-PD4-Y		10.6	59.0	3 758	750.0	2 629	93	8.0	146.0	0.38	0	12.0	147	74.0	1.6		46.17	51.83
	DF2/KS-PD25-Y		3.5	23.0	2 954	1 185.0	3 341	61	<3	20.0	0.23	0	6.0	35	79.0	10.3		45.88	52.93
	XX-W1-Y		37.15	141.5	1 680	499.8	0.42	2	9.6	4 111	0	27.0	0.5	20	8.0	3.95	0	43.68	50.57
	KS-PD1-W1-Y		21.37	56.0	1 780	494.8	10 480	320	289.6	14 566	0	2.0	3.4	154	77.0	4.5	8.9	42.69	50.09
红庄	RZ1/康山		1.36	27.4	826	456.0	1 456	242.0	1.42		0		13	21.4	15.7		355	45.62	52.43
	NG-DF1-Y		5.89	15.5	1 210	402.6	891	20	7.2	116.2	0.14	2.6	42.6	1 860	212.0	1.35		42.56	47.55
横岭山	RZ1/横岭山		0.123	7.38	277	116.0	44	7.63	4.35		2.53		41	390	308			42.81	47.20
前河	S-10	635	77.50	65.0	240	105.0	100	2 125	12.5	1.4	0.75	1.80	<5	255	145	8.0		46.22	53.42
	D3	620	52.43	85.0	780	135.0	150	983	9.7	5.0	1.10	1.90	<5	330	155	125.0		46.47	53.79
	D4	620	401.44	80.0	1 139	425.0	110	983	4.2	18.5	0.62	0.50	<5	155	170	28.2		46.31	53.60
	YS1-3	605	84.90	60.0	170	60.0	130	3 750	8.3	2.1	1.20	0.20	<5	300	315	10.0		46.28	57.53
	YS1-7	605	200.96	55.0	115	80.0	80	2 438	3.2	1.5	1.00	0.55	<5	305	200	14.0		46.46	53.45
	YS1-8	605	33.06	50.0	225	175.0	50	1 312	1.5	1.1	1.00	0.75	<5	850	260	5.0		46.27	53.60
	YS2-4	560	37.25	230.0	1 425	1 750.0	140	1 125	20.8	1.1	1.20	125.00	<5	520	215	63.5		46.57	52.20
	YS2-5	560	158.42	110.0	135	65.0	40	4 625	8.3	1.1	1.00	1.90	<5	235	110	3.2		46.34	53.42
	RZ1/前河		16.30	32.4	979	226	274	669	5.68		3.00		5	242	100			44.92	50.78

注：含量单位 S、Fe 为 $n×10^{-2}$，其他元素为 $n×10^{-6}$。

体分布，晶形（由自形－半自形）立方体，粗晶者（＞0.5 mm）具明显梯状节理。粒度：前河、北岭金矿绝大多数为小于 0.5 mm 的细粒，其他矿区以 0.5～4 mm 的较粗粒为主，局部见大于 10 mm 的晶体；硬度：康山 67.6 kg／mm^2，红庄为 70.1 kg／mm^2。康山方铅矿的热电系数为 265.08 μV／℃。

方铅矿中含 Au、Ag、Zn、Cu、Sb 等微量元素较高，其中含金 0.041～88.8 g／t。金矿化较好的矿床（点）中方铅矿含金量多大于 1.0 g／t，前河金矿中方铅矿含金 11.78～13.4 g／t。红庄金矿中方铅矿含金量高达 18.60 g／t，方铅矿化学成分见表 4-9。

表 4-9　方铅矿化学成分

矿床点	Au	Ag	Pb	Zn	Cu	As	Sb	Bi	Se
康　山	1.053	209	79.79	31 500	1 800	25.7	113	108.8	0.04
红　庄	18.60	2 411	84.86	165	115	1.52	326	0.8	2.3
杨寺沟	0.34		88.16						0.01
矿床点	Te	Cr	Co	Ni	Mo	Cd	Fe	S	
康　山	85.7	0	0.8	2	1.3	134	0.448 5	14.79	
红　庄	1.3	0	0.5	2	0.3	29	0.034 9	13.17	
杨寺沟				0.1				12.76	

注：含量单位 Pb、Fe、S 为 $n \times 10^{-2}$，其他元素为 $n \times 10^{-6}$。

根据熊耳山地区构造蚀变岩型金矿床的总结得出，金矿化较好的矿床，方铅矿中含 As＞ 1×10^{-9}，Cd23$\times 10^{-6}$，Se＜3×10^{-6}，而矿化差的矿点则相反。因此，本区金矿中方铅矿中的 Au、As、Cd、Se 等元素含量具一定标型意义。

4）闪锌矿、黄铜矿

闪锌矿多为次要矿石矿物，前河、康山、红庄金矿含量较高，多呈浸染状分布。颜色由于含铁量不同可呈浅棕黄色、暗棕色、棕黑色，一般为他形粒状。粒度 0.03～4.2 mm，最大 6 mm；反射率 590 μm 康山为 15.8%，红庄为 16.5%～16.7%；显微硬度 182～246 kg／mm^2。康山闪锌矿含金 3.10～216.0 g／t，银 800 g／t。

黄铜矿在康山金矿中含量较高；常呈他形粒状，粒度小于 0.2 mm，硬度 236 kg／mm^2，反射率 590 μm 星星阴为 46.2%。红庄金矿中闪锌矿含有大量乳滴状黄铜矿，与金矿化关系密切。

5）石英

石英为与成矿有关的最主要脉石矿物，在含金石英脉矿床中构成矿体（脉）的主体，在构造蚀变岩型金矿床中以脉状、网状和细粒浸染状等形式产出。

石英具多世代形成，根据矿物共生组合及穿插关系可划分为 3 个世代。Ⅰ世代石英为乳白色，他形粒状，粒度较大（0.2～10 mm），由于经受应力作用晶粒中裂纹十分发育，有的呈角砾状，具强烈波光消光，并含较多的气、液、固态包体，一般不含矿。Ⅱ世代石英是在主矿化阶段生成，一般呈灰白色和无色，他形粒状或呈晶簇状，粒度 0.02～0.5 mm，多成细脉浸染状产出，具波状消光，含气、液、固态包体较少而干净，与金矿化关系密切。Ⅲ世代石英为晚期形成，常成微细脉穿插Ⅰ、Ⅱ世代形成的石英，一般不含矿。

石英成分与上宫矿床大体相同，Au、Ag 含量低，Au 0.42～0.54 g／t，Ag 0.2～5 g／t。

6）钾长石

钾长石为重要的脉石矿物，紫红色和砖红色，细－粗粒，早期钾长石多为粒状，颜色深，具双晶，含金性差，成矿期多为细脉状，砖红色、双无晶，与黄铁矿、绢云母白云石等共生，与金矿化关系密切。晚期低温下形成的钾长石呈细脉状、矿化弱。

(三)矿石类型与矿物组合

构造蚀变岩型金矿床可划分为：黄铁矿角砾岩型，方铅矿、黄铁矿角砾岩型，方铅矿角砾岩型，多金属硫化物蚀变碎裂岩(角砾岩)型及黄铁矿蚀变碎裂岩型等。

各个金矿矿物组合大同小异，综合起来主要为自然金-黄铁矿组合和自然金-多金属硫化物组合，其脉石矿物主要为石英和成矿围岩中的矿物以及矿化蚀变形成的矿物。主要构造蚀变岩型金矿床矿石类型与矿物组合见表4-10。

表 4-10　主要构造蚀变岩型金矿床矿石类型与矿物组合一览表

矿床	矿床类型	矿石类型	矿物组合
前河金矿（点）	构造蚀变岩型	黄铁绢英岩型；碎裂岩型；多金属硫化物型。根据矿石建造及金属硫化物又可分为：黄铁绢英岩化糜棱岩型；黄铁二云英岩化糜棱岩型；黄铁绢英岩化构造角砾岩型；黄铁绢英岩化碎粒岩型；黄铁二云母化糜棱岩型；黄铁钾长石绢英岩多金属硫化物型；石英交代岩多金属硫化物型	1.黄铁矿；2.自然金-黄铁矿；3.自然金-方铅矿-黄铜矿；4.自然金-黄铁矿-方铅矿-闪锌矿；5.自然金-白钨矿-闪锌矿-黄铁矿
康山一星星阴金矿	构造蚀变岩型	黄铁矿构造蚀变岩型；黄铁绢英岩型多金属硫化物构造蚀变岩型；石英脉型；氧化矿石	1.黄铁矿；2.自然金-方铅矿-黄铜矿-黄铁矿；3.自然金-方铅矿-闪锌矿-黄铜矿-黄铁矿
红庄金矿	构造蚀变岩型	金属硫化物石英脉型；角砾岩型；多金属硫化物构造蚀变岩型；氧化矿石	1.黄铁矿；2.自然金-黄铁矿-方铅矿；3.自然金-黄铁矿-黄铜矿-闪锌矿；4.自然金-方铅矿-黄铁矿-闪锌矿
北岭金矿	构造蚀变岩型	黄铁矿及多金属矿化粗安岩型；黄铁矿及多金属矿化安山岩型；多金属矿化碎裂岩型	1.自然金-黄铁矿-方铅矿；2.自然金-黄铁矿-方铅矿-黄铜矿

不同矿石类型的金属硫化含金量有很大差别(见表4-11)，如细粒方铅矿、黄铁矿矿石中方铅矿含金高达88.8 g/t，而石英、方铅矿矿石中的方铅矿含金仅0.19 g/t。

表 4-11　主要构造蚀变岩型金矿床不同矿石类型的金属硫物含金量

矿　床	样品号	矿物	矿石类型	Au(g/t)
康山金矿	92-62	方铅矿	细粒方铅矿、黄铁矿矿石	88.8
	92-64	闪锌矿	块状闪锌矿、黄铁矿矿石	216.0
	92-65	黄铁矿	粗粒方铅矿、黄铁矿矿石	13.2
星星阴金矿	92-51	黄铁矿	蚀变岩型矿石	15.2
	92-54	黄铁矿	块状石英、黄铁矿矿石	0.88
	92-56	方铅矿	石英、方铅矿矿石	0.19
红庄金矿	92-43	方铅矿+黄铁矿	网脉状方铅矿、黄铁矿、石英矿石	27.0
南坪金矿(点)	92-76	黄铁矿	方铅矿、黄铁矿、石英矿石	6.2
前河金矿	92-2	黄铁矿	条带状黄铁矿石英矿石	38.9
	92-4	黄铁矿	蚀变岩型矿石	50.0
	92-8	黄铁矿	粗粒黄铁矿矿石	10.7
	92-19	方铅矿	石英、方铅矿矿石	13.4

(四)矿石结构构造

矿石结构依矿石中主要金属矿物的结晶程度和相互关系划分。区内构造蚀变岩型金矿床矿石结构大体相同，都具有晶粒结构、交代结构、粒状结构等。

矿石构造依矿石中主要金属矿物集合体的形态及其相互之间的关系划分。金矿石构造主要有浸染状、脉状-网脉状、块状、角砾状等。各矿床矿石结构、构造详见表4-12。

表4-12 不同金矿矿石结构、构造一览表

矿床	矿石结构	矿石构造
康山—星星阴金矿	自形晶粒结构、半自形晶粒结构、他形晶粒结构、包含结构、交代残余结构	浸染状构造、细脉状-网脉状构造、条带状构造、蜂窝状构造、土状构造
红庄金矿	他形晶粒结构，胶体结构，次生交代结构	块状构造、角砾状构造、脉状构造、浸染状构造、皮壳状构造、蜂窝状构造
前河金矿	半自形-他形晶粒结构、交代结构碎裂结构、糜棱结构、微鳞片变晶结构、变余细晶结构、变余斑状结构	块状构造、角砾状构造、条带状构造、细脉浸染状构造、裂隙充填构造
北岭金矿	自形-半自形晶粒结构、他形粒状结构、环边结构、假象结构、交代结构、交代残余结构、残留火山岩结构	浸染状构造、角砾状构造、细网脉状构造、梳状构造
庙岭金矿	自形-他形粒状结构碎裂结构	浸染状构造、块状构造、蜂窝状构造

(五)矿石化学成分及微量元素特征

区内构造蚀变岩型金矿矿石化学成分，由于赋矿岩石不同而差异较大，在同一含矿层位化学成分差异很小(见表4-13)。赋存在太华岩群中的金矿矿石 SiO_2 含量为 49.586 4%；赋存在熊耳群中的金矿矿石 SiO_2 含量达 52.46% ~ 54.38%；赋存在官道口群中的金矿矿石 SiO_2 含量仅 4.07%。矿石中 K_2O 含量主要反映绢云母化及钾长石化的强弱，Na_2O 主要反映长石的残留多少。从表4-13中可看出，K_2O 和 Na_2O 成正消长关系，且 $K_2O > Na_2O$。

马超营断裂带构造蚀变岩型金矿基本成矿元素组合为 Au、Ag、Pb、Zn、Cu。主要金矿床矿石微量元素含量见表4-14。

表4-13 主要构造蚀变岩型金矿床矿石化学成分

成分	康山—星星阴金矿				红庄金矿				前河金矿		北岭金矿	
	太华岩群中		熊耳群中		熊耳群中		官道口群中					
	样品数	平均含量(%)	样品数	平均含量(%)	样品数	平均含量(%)	样品数	平均含量(%)	样品数	平均含量(%)	样品数	平均含量(%)
SiO_2	4	49.586 4	1	54.380 0	1	52.460 0	2	4.070 9	14	56.962 8		58.380 0
TiO_2	4	0.201 5	1	0.600 0			2	0.244 9	14	0.954 2		1.200 0
Al_2O_3	4	3.229 7	1	9.590 0			2	2.206 8	14	13.601 4		11.010 0
Fe_2O_3	4	0.011 9	1	17.650 0			2	11.790 5	14	4.260 0		9.090 0
FeO	4	2.340 5	1	17.650 0			2	0.158 1	14	3.683 5		
MnO	4	0.130 3	1	4.750 0			2	0.554 3				
CaO	4	0.662 5	1	0.440 0	1	1.850 0	2	28.903 3	14	2.940 0		1.530 0
MgO	4	0.848 9	1	1.480 0			2	5.851 3	14	3.328 5		2.310 0
Na_2O	4	0.096 4	1	0.240 0	1	0.050 0	2	0.120 0	14	0.426 4		0.210 0
K_2O	4	1.119 0	1	3.260 0	1	2.160 0	2	0.244 9	14	7.510 7		5.900 0
P_2O_5	4	0.117 3	1	0.280 0			2	0.709 9	14	0.237 0		
S	4	2.568 8	1	0.510 0			2	0.180 0				3.690 0
H_2O									14	2.358 5		

表 4-14　主要构造蚀变岩型金矿床矿石微量元素含量（$n \times 10^{-6}$）

成分	康山—星星阴金矿				红庄金矿				前河金矿		北岭金矿	
	太华岩群中		熊耳群中		熊耳群中		官道口群中					
	样品数	平均含量	样品数	平均含量	样品数	平均含量	样品数	平均含量	样品数	平均含量	样品数	平均含量
Pb	4	3 987.7	1	5 900	1	60 000	2	30 559	5	1 700		1 700
Zn	4	1 205	1	11 000	1	4 500	2	43.3	5	600.5		400
Cu	4	12 765	1	400	1	600	2	834	5	124.9		60
Co	4	24.7	1	31.0	1	20.0	2	40.0	5	29.96		30
Ni	4	67.5	1	33.1	1	70.0	2	63.4	5	25.6		50
As	4	36.6	1	29.6	1	92.0	2	47.8	5	35.38		840
Sb	4	19.6	1	1.28	1	12.4	2	25.9	5	1.62		30
Sr	4	3.9	1	23.4	1	100	2	5.3	5	177.8		2 000
Ba	4	211.7	1	3 041	1	400	2	91.5	5	692		3 000
Te	4	7.17	1	0.05			2	0.41				
Se	4	0.17	1	0.05			2	0.61				
Au	4	2.09	1	5.61	1	1.06	2	7.93	5	3.40		4.6
Ag	4	46.8	1	9.2	1	20.0	2	20.8	5	16.66		12.9

(六)围岩蚀变

前河金矿围岩蚀变主要有钾化、硅化、黄铁绢英岩化、绿帘石化、绿泥石化、绢云母化等，其中硅化和黄铁绢英岩化与金矿化最为密切。甚沟矿段金矿体由内向外大致可分为：（黄铁矿–钾长石–绢英岩–多金属硫化物金矿体）→石英–钾长石–绢云母化带→绢云母–黑云母–碳酸盐化带→绿泥石–黑云母–石英–绢云母化带→安山岩。

康山—星星阴金矿床蚀变岩型金矿体由内向外可分为：（金–黄铁矿–钾长石–石英–绢云母化安山岩）→石英–绢云母–碳酸盐岩–钾长石化带→绿泥石–绢云母–石英–碳酸盐岩–钾长石化带→钾长石化带→安山岩。

第二节　含金石英脉型金矿床地质特征

区内含金石英脉型金矿床只康山一处，在南坪和杨寺沟矿区仅见少量小型含金石英脉分布。现以康山金矿床为例简述其特征。

一、成矿地质背景

赋矿地层主要为太古界太华岩群，主要岩性为混合片麻岩、斜长角闪片麻岩和黑云斜长片麻岩等及中元古界熊耳群安山岩、英安岩等。

矿区位于北东向星星阴—上宫断裂与近东西向的马超营的交会部位，区内北东向断裂十分发育，其走向 20°～40°，倾向北西。倾角 60°～88°，断裂带长数十米至数百米，宽数分米至数米，多在 1 m 左右。含金石英脉严格受北东和北北东向次级断裂控制。

区内侵入岩仅见少量海西—印支期正长岩脉和燕山期花岗斑岩脉。

二、矿床地质特征

含金石英脉主要由石英脉及硫化物组成，蚀变岩含量少，与小秦岭地区黄铁矿型含金石英脉特点相似。

(一)矿体规模、形态及产状

矿体的产出严格受构造带控制，产状与构造带一致，一般走向 20º～40º，倾向北西，倾角 60º～80º，矿体呈脉状及透镜状，一般长数十米至百余米，厚度变化较大，常有分支复合现象。

(二)矿石矿物组成

矿石中金属矿物有黄铁矿、黄铜矿、方铅矿、闪锌矿、自然金、银金矿等。脉石矿物有石英、绢云母、钾长石、铁白云石、方解石、绿泥石等，氧化次生矿物有褐铁矿、孔雀石、白铅矿、铜蓝等。

矿石中金属矿物的分布是不均匀的，常出现以下的组合：①黄铁矿；②自然金(银金矿)–方铅矿–黄铜矿–黄铁矿；③自然金(银金矿)–方铅矿–闪锌矿–黄铜矿–黄铁矿。

矿石中的金多以自然金、银金矿形式存在，颜色呈深黄色、浅黄色，形态多为不规则粒状、片状、针状及树枝状等。主要分布于脉石英及各种硫化物中，嵌布形式主要有：①包体金，金矿物呈 0.001 25～0.022 5 mm 颗粒包于石英及各种硫化物之中；②晶隙金，金矿物分布于金属或非金属矿物晶粒之间；③裂隙金，金矿物呈微粒状、细脉状充填于黄铁矿等矿物的裂隙中。

黄铁矿：粗粒者呈集合体产出，晶形半自形到自形，粒径一般 0.5～5 mm。细粒黄铁矿常呈集合体或细脉浸染状产出，粒径小于 0.5 mm。黄铁矿含 Au 10.26 g／t、Ag 46.3 g／t。

方铅矿：粗粒–细粒，多呈集合体和细脉浸染状产出，晶形由他形到自形，粗粒者粒径一般为 1～10 mm，方铅矿含 Au 0.66 g／t、Ag 347.5 g／t、Pb 84.57%，细粒方铅矿含金 0.75～6.10 g／t、Ag 200～1 000 g／t。

闪锌矿：以粗粒为主，常呈块状集合体，晶形他形到自形，单矿物样分析含 Au 3.10 g／t、Ag 500g／t。

黄铜矿：常与黄铁矿共生，有时呈连晶出现，晶形他形到自形，单矿物样分析含 Au 2.96 g／t、Ag 212 g／t、Pb 0.1%、Zn 3.2%、Cu 29.85%。

以上金属矿物生成顺序为：黄铁矿→闪锌矿、黄铜矿→方铅矿→黄铁矿、黄铜矿→斑铜矿。

(三)矿石类型及其结构构造

矿石类型可分为黄铁矿石英型、多金属硫化物石英脉型、矿化围岩型、氧化矿石。矿石中金属矿物为自形晶粒结构、半自形晶粒结构、他形晶粒结构、压碎结构，包含结构及交代残余结构等。矿石构造主要为浸染状、细脉–网脉状、条带状及蜂窝状构造。

(四)蚀变矿化阶段

由于含金石英型金矿的蚀变、矿化与该矿区构造蚀变岩型金矿的成矿发展阶段是一致的，只是在充填和蚀变矿化的矿物组合上，在不同阶段存在一定差异。所以，蚀变矿化也可划分为五个阶段，即钾长石阶段、黄铁矿–石英阶段、自然金–石英(绢云母)–黄铜矿–黄铁矿阶段、自然金–多金属硫化物阶段及碳酸盐化阶段。

(五)围岩蚀变交代作用

矿区与成矿热液有关的蚀变交代作用主要有以下几个。

1. 硅化

硅化在矿区分布十分广泛，具有明显的多阶段性，黄铁矿–石英阶段，在强蚀变地段，石英交代充填形成基本不含矿的石英脉。在弱蚀变地段，石英呈粒间交代，形成硅化岩石，伴有很少黄铁矿。在随后的两个成矿阶段中，石英与黄铁矿及少量黄铜矿、金矿物、重晶石一起，沿早期石英脉网状裂隙溶蚀交代充填或呈粒间交代构造带岩石，或伴随多金属硫化物作细脉状、浸染状、条带状分布。

2. 绢云母化

绢云母化分布广泛，蚀变较强，是与矿化关系密切的一种蚀变。形成也具明显的多阶段特点。绢云母是在黄铁矿–石英阶段形成，主要发育于无矿石英脉的两侧及构造带内。在自然金–石英(绢云母)–黄铜矿–黄铁矿成矿阶段中，绢云母呈显微鳞片状集合体，与石英、硫化物、重晶石、白云石一起，沿石英脉网状裂隙溶蚀交代、充填或呈粒间交代早期蚀变的岩石。当强烈的绢云母化伴有强烈的硅化和黄铁矿化时，形成黄铁绢英岩型金矿石。在自然金–多金属硫化物阶段，绢云母化强度弱，绢云母常与石英、白云石一起组成细脉，穿插早期蚀变矿化产物。

3. (铁)白云石化

(铁)白云石化在矿区较发育，火山岩中早期的铁白云石主要呈显微粒状集合体交代岩石中的铁镁矿物，其次交代长石；中晚期铁白云石多呈细–粗粒集合体，成细脉或团块穿插交代岩石中矿石，并有矿化伴随。

片麻岩、混合岩中白云石化主要发生在主成矿阶段，白云石呈细–微粒状集合体单独或与绢云母、石英组成细脉，并伴有矿化。

4. 绿泥石化

主要发育于火山岩中，但强度较弱，在主矿化阶段发生时伴有矿化。

5. 碳酸盐化

在成矿晚期，有方解石细脉、白云石呈细脉穿插早期矿石和岩石，无矿化伴生。

围岩蚀变带宽度为十余厘米到数米，一般由矿体向外，出现大致对称的以下蚀变分带：

黄铁矿–多金属硫化物金矿体→黄铁矿–白云石–钾长石化带→绢云母–白云石–钾长石化带→钾长石化带→混合岩化片麻岩。

黄铁矿–多金属硫化物金矿体(含矿黄铁绢英岩)→绿泥石–绢云母化带→混合片麻岩。

第三节　爆破角砾岩型金矿床地质特征

爆破角砾岩型金矿床区内仅店房一处。

一、成矿地质背景

矿区位于华熊台隆南缘，马超营断裂带内。出露地层为熊耳群鸡蛋坪组，主要岩性为流纹斑岩、流纹岩、英安岩。区内还有火山角砾岩、含矿爆破角砾岩分布，爆破角砾岩体呈筒状。

区内断裂构造发育，主要有近东西向、北东向、北西向及近南北向四组，其中近东西向断裂为主要控矿构造。

爆破角砾岩体东西长 700 m、南北宽 500 m，岩体与围岩鸡蛋坪组呈侵入关系。爆破角砾成分地表比较复杂，向深部逐渐变得简单。根据空间上的变化特征，可划分为上部坍塌相、中部过渡相、下部隐爆角砾岩岩相。

金矿化和爆破角砾岩体的关系如下：

(1)绝大部分矿体分布在爆破角砾岩体中。

(2)爆破角砾岩体的顶部及边部是成矿有利部位。

(3)离开爆破角砾岩体的断裂中只有较弱的金矿化。

(4)蚀变矿化。靠近南缘接触带硅化、钾长石化、方铅矿化、黄铁矿化比较强，表现为南强北弱的特点。

(5)金矿体的形态、产状、分布范围受爆破角砾岩体边界形态制约。

二、矿床地质特征

(一)矿体形态、产状及规模

矿体受爆破角砾岩与断裂构造复合控制，分布于角砾岩体南侧边缘，主要富集在爆破角砾岩体顶界向外凸出和向上隆起的复合部位，矿体侧伏亦和爆破角砾岩体的侧伏方向一致，均是向南东方向侧伏。

矿区共圈定大小矿体 24 个，其中金矿体 14 个，铅矿体 10 个。矿体均呈大致相互平行的脉状产出，形态较规则(见图 4-4)，规模大小不一。走向长度数十米到 300 m，倾向延深 20～375 m，厚度最小 0.33 m，最大 19.38 m，平均厚度 1.55～2.66 m。铅矿体与金矿体相伴，走向最长 118 m，倾向延深约 300 m，厚度 0.53～5.0 m。矿体产状变化较大，由倾向 170°、倾角 61°～67°至倾向 7°～20°、倾角 51°左右，在走向转折部位或岩体与矿体均向南倾时，倾角较缓，在 45°左右，深部岩体产状近直立而无矿。店房金矿床主要矿体特征见表 4-15。

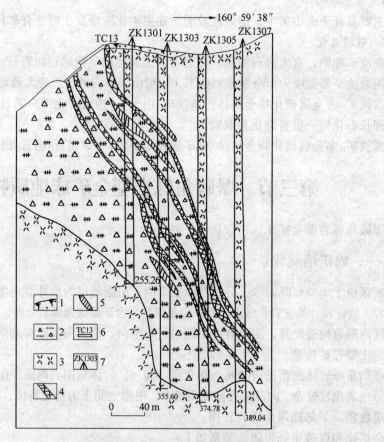

图 4-4　嵩县店房金矿第 13 勘探剖面图

1—第四系残坡积物；2—爆破角砾岩；3—流纹斑岩；4—表内矿内；5—表外矿体；
6—控槽位置及编号；7—钻孔位置及编号

表 4-15　店房金矿床主要矿体特征一览表

矿体号	矿体形态	矿体规模与产状	平均品位(g/t)
I	为单一脉产出	矿体走向长度近 300 m；控制斜深 355 m，厚度最大 19.38 m，最小 0.39 m，平均 2.66 m	最高 24.90，最低 0.20，平均 3.83
II	呈脉状产出，有分支现象	矿体走向长度 231 m，控制斜深 346 m，平均厚度 2.62 m	最高 38.59，最低 0.10，平均 5.98
III	呈脉状，矿体形态较复杂，有两个分支矿体出现	矿体走向长度 140 m，控制斜深 232 m，平均厚度 1.55 m	最高 14.58，最低 1.22，平均 3.98
IV	为一不规则的矩形板状	矿体走向长度 83 m，控制斜深 375 m，平均厚度 1.57 m	最高 31.80，最低 0.60，平均 4.27
V	呈脉状，沿倾斜方向具分支尖灭特征	矿体走向长度近 162 m，控制斜深 360 m；厚度最大 8.93 m，最小 0.33 m，平均 1.86 m	最高 25.60，最低 0.40，平均 6.06

(二)矿石特征

1. 矿石类型

矿石按氧化程度可分为原生矿、氧化矿及混合矿 3 种类型。

按含矿岩石类型可划分为蚀变爆破角砾岩型矿石、蚀变构造角砾岩(碎裂岩)型矿石、蚀变流纹岩(蚀变英安质流纹岩)型矿石、蚀变岩型矿石。

按工业类型可划分为含铅、银金矿石，含金、银铅矿石。

2. 矿石结构构造

矿石结构主要为自形–他形晶粒结构、交代残余结构、交代假象结构、包含结构及乳滴状结构；矿石构造多为浸染状、团块状、细脉状、角砾状等；氧化矿石多见蜂窝状构造。

3. 矿石物质组成

矿石中主要金属矿物有方铅矿、黄铁矿、磁铁矿，次为闪锌矿、黄铜矿、毒矿、磁黄铁矿，局部见自然金、自然银。氧化矿石金属矿物有褐铁矿及白铅矿。脉石矿物有石英、铁绿泥石、绢云母、方解石、角闪石、高岭石等。店房金矿床矿石化学成分见表 4-16。主要金属矿物特征如下：

表 4-16　店房金矿床矿石化学成分 $(n \times 10^{-2})$

元素	Pb	Cu	Zn	S	Na_2O	K_2O	TiO_2	MnO
含量	2.13	0.02	0.13	1.32	0.05	2.21	0.54	2.02

元素	Fe	Al_2O_3	SiO_2	CaO	MgO	Au(g/t)	Ag(g/t)	
含量	10.70	7.62	51.99	5.72	3.36	4.33	51.50	

(1)金矿物。主要以含银自然金为主，次为银金矿。多呈叶片状、粒状、针状、枝叉状、不规则状分布于黄铁矿、方铅矿及脉石矿物中，其嵌布形式有包体金、粒间金、裂隙金、浸

表 4-17　金矿物化学成分电子探针分析结果

矿物	Au (%)	Ag (%)	Cu (%)	Fe (%)	成色(‰)
含银自然金	80.85	18.16	0.012	0.023	812.9
	82.47	17.35	0.009	0.005	826.2
	81.37	17.84	0.010	0.009	820.0
银金矿	74.86	25.42	0.005	0.003	
	54.59	45.07			
	59.33	40.67			

（2）黄铁矿。以自形粒状为主，少数呈半自形–他形，粒度 0.01～0.1 mm，在黄铁矿粒间及裂隙间见有自然金的浸染。黄铁矿一般含金 2.4～11.0 g / t，含银 6.25～86.00 g / t。

（3）方铅矿。多呈粒状集合体交代穿插黄铁矿、毒矿，并沿其边部形成镶边，在方铅矿中见有包体金、粒间金和裂隙金分布。方铅矿含金 0.04～21.6 g / t，含银 500～3 286 g / t。

4. 矿化期及矿化阶段

矿化期由早到晚可划分矽卡岩期、热液期和表生期。其中热液期为主要成矿期，其又可划分为高、中、低温三个阶段（见表4-18）。从表4-18 中看出金矿化从高温到低温均有发生，方铅矿化始于高温阶段的尾声，结束于低温阶段，而主要集中于中温阶段。

表 4-18　店房金矿床矿石化阶段及矿物生成顺序

矿物名称	矽卡岩期		热液期			表生期
	无矿阶段	磁铁矿阶段	高温阶段	中温阶段	低温阶段	
石榴子石	——					
透辉石	·· —— ··					
绿帘石		··——	··——			
透闪石		·——	——			
阳起石		·——	——			
磁铁矿		—— ··				
白钨矿		·—— ·				
黄铁矿		·· ——	—— ·			
石英		·——	——	——	——	—
金云母		·—				
自然金			·—— ··	·· ——	·——	
毒砂			·—— ·			
磁黄铁矿			·——			
闪锌矿			·——			
方铅矿			··	—— ··	·——	
针碲金银矿				·· ——	——	
黄铜矿					·· —— ··	
绢云母			·——	——	——	

矿物名称	矽卡岩期		热液期			表生期
	无矿阶段	磁铁矿阶段	高温阶段	中温阶段	低温阶段	
钾钠长石			▬▬▬	···		
黑云母		·· ▬▬▬▬	▬▬▬▬▬	▬▬▬		
方解石		· ▬▬	· · · · · · ·	· ▬▬▬	· · · · · · ▬▬	
绿泥石		·· · ▬▬	· · · · · · · ·	· ▬▬▬▬	· · · · · · · ▬	
褐铁矿						▬▬▬ ··
针赤铁矿						▬▬ · · ·
孔雀石						▬ · · ·
铜蓝						▬ · · ·
白铅矿						▬ · · ·
铅矾						▬ · · ·
标型元素		Fe W S	S Au Zn	Pb Au	Pb Au Cu	Fe Cu Pb
结构构造	自形	自形浸染状	自形、半自形及浸染状	残余、包含浸染状	半自形-他形细脉状	残余假象蜂窝状

(三)围岩蚀变

矿区与金及多金属矿化有关的蚀变有硅化、钾化(钾长石化、黑云母化)、绿泥石化、绢云母化及碳酸盐化等，其中硅化与金矿化最为密切。

第五章 成矿地球化学条件

马超营断裂带作为区域性构造，不仅具控岩、控矿作用，同时对区域元素分布、分配特征、演化趋势及局部地球化学场的形成也具明显控制意义。本次工作沿马超营断裂带系统测制了22条地质–地球化学剖面，同时还在区内不同地点测制了20多条断裂地化剖面，采集分析了881个样品。样品测试工作由地调一队化验室承担，其中Au用化学光谱法，As、Sb、Bi用原子吸收光谱法，其余各元素均为发射光谱法测定。由地调一队微机室对样品分析结果进行了电算处理，计算时，对Ag元素小于检出限的数值，以0.05×10^{-6}代替。Cu分析结果系统偏低，仅供参考。

第一节 区域地球化学特征

一、地层及岩石中金及有关元素含量特征

对地层及岩石地球化学特征的探讨是区域成矿地球化学条件研究的基础。其目的是通过对地层及岩石中微量元素含量、富集组合、离散特征等的研究，查明元素的富集层位，分析其同生富集规律，并为进一步研究元素在构造变形等一系列后生地质作用中的活化迁移及富集规律提供信息。

(一)地层中微量元素丰度特征

区内各地层单元微量元素含量统计特征及富集程度见表5-1。

表5-1 马超营断裂带区域地层微量元素地球化学特征对比

元素		地层							克拉克值(维氏，1962)	区域背景值
		太华群	熊耳群					官道口群		
			许山组	鸡蛋坪组	马家河组	龙脖组	平均			
		(35)	(53)	(228)	(194)	(33)	(508)	(21)		
Au	$\overline{X}_g$	2.36	1.83	5.24	2.62	1.87	2.92	1.67	4.3	1.97
	σ	0.507	0.363	0.519	0.466	0.160		0.317		
	K_k	0.55	0.42	1.22	0.61	0.44	0.68	0.39		
	K_b	1.19	0.93	2.66	1.33	0.95	1.48	0.85		
Ag	$\overline{X}_g$	0.078	0.055	0.061	0.052	0.050	0.054	0.229	0.07	0.06
	σ	0.544	0.428	0.531	0.306	0.212		0.827		
	K_k	1.11	0.78	0.87	0.74	0.71	0.77	3.27		
	K_b	1.30	0.92	1.02	0.87	0.83	0.90	3.82		
Pb	$\overline{X}_g$	29.24	14.82	59.98	19.68	22.80	29.32	68.08	16	19
	σ	0.600	0.489	0.692	0.623	0.382		0.876		
	K_k	1.83	0.93	3.75	1.23	1.42	1.83	5.25		
	K_b	1.45	0.78	3.16	1.04	1.20	1.54	3.58		
Zn	$\overline{X}_g$	59.02	70.96	72.28	70.15	72.11	71.38	24.21	83	70
	σ	0.309	0.309	0.422	0.271	0.262		0.371		
	K_k	0.31	0.85	0.87	0.84	0.87	0.86	0.29		
	K_b	0.84	1.01	1.03	1.00	1.03	1.03	0.34		

续表 5-1

元素		地层						官道口群	克拉克值 (维氏, 1962)	区 域 背景值
		太华群	熊耳群							
			许山组	鸡蛋坪组	马家河组	龙脖组	平均			
		(35)	(53)	(228)	(194)	(33)	(508)	(21)		
Cu	$\overline{X}_g$	14.45	4.4	4.54	6.85	3.51	4.82	4.82	47	8
	σ	0.513	0.352	0.539	0.497	0.372		0.362		
	K_k	0.31	0.09	0.10	0.14	0.07	0.10	0.10		
	K_b	1.81	0.55	0.57	0.86	0.44	0.60	0.60		
Mo	$\overline{X}_g$	1.37	1.25	1.53	1.13	1.16	1.27		1.1	1.2
	σ	0.282	0.297	0.390	0.386	0.125				
	K_k	1.25	1.14	1.40	1.03	1.05	1.15			
	K_b	1.14	1.04	1.28	0.94	0.96	1.06			
Co	$\overline{X}_g$	14.26	16.48	6.37	20.61	6.70	12.54	6.64	18	17
	σ	0.285	0.247	0.293	0.260	0.276		0.215		
	K_k	0.79	0.92	0.35	1.14	0.37	0.70	0.37		
	K_b	0.84	0.97	0.37	1.21	0.39	0.74	0.39		
Ni	$\overline{X}_g$	44.77	18.62	9.82	34.43	11.14	18.50	13	58	22
	σ	0.460	0.412	0.390	0.374	0.159		0.374		
	K_k	0.77	0.32	0.17	0.59	0.19	0.32	0.22		
	K_b	2.04	0.85	0.45	1.56	0.51	0.84	0.59		
Mn	$\overline{X}_g$	2 177.7	2 280.34	1 174.90	1 694.34	1 122.01	1 567.90	2 074.91	1 000	1 390
	σ	0.309	0.318	0.336	0.284	0.339		0.389		
	K_k	2.18	2.28	1.17	1.69	1.12	1.57	2.07		
	K_b	1.56	1.64	0.84	1.22	0.81	1.13	1.49		
Ba	$\overline{X}_g$	257.04	562.34	329.61	359.75	539.51	447.80	295.80	650	330
	σ	0.395	0.416	0.279	0.351	0.312		0.904		
	K_k	0.40	0.86	0.51	0.55	0.83	0.69	0.46		
	K_b	0.78	1.70	1.00	1.09	1.63	1.36	0.90		
Sr	$\overline{X}_g$	114.29	123.31	32.14	97.50	40.46	73.35	120.78	340	100
	σ	0.362	0.434	0.362	0.386	0.411		0.452		
	K_k	0.34	0.36	0.09	0.29	0.12	0.22	0.36		
	K_b	1.14	1.23	0.32	0.98	0.40	0.73	1.21		
As	$\overline{X}_g$	1.48	0.88	0.93	0.92	0.93	0.92	1.28	1.7	0.9
	σ	0.275	0.379	0.401	0.286	0.189		0.460		
	K_k	0.87	0.52	0.55	0.54	0.55	0.54	0.75		
	K_b	1.64	0.98	1.03	1.02	1.03	1.02	1.42		
Sb	$\overline{X}_g$	0.44	0.34	0.45	0.32	0.34	0.36	0.38	0.5	0.31
	σ	0.429	0.287	0.311	0.398	0.278		0.630		
	K_k	0.88	0.68	0.90	0.63	0.69	0.72	0.76		
	K_b	1.42	1.10	1.45	1.03	1.10	1.16	1.22		
Bi	$\overline{X}_g$	0.112	0.075	0.104	0.075	0.066	0.080	0.085	0.009	0.057
	σ	0.259	0.231	0.463	0.490	0.191		0.125		
	K_k	12.44	8.29	11.53	8.29	7.31	8.89	9.48		
	K_b	1.96	1.32	1.82	1.32	1.16	1.40	1.49		

注: Au 单位为 $n \times 10^{-9}$, 其余为 $n \times 10^{-6}$; $\overline{X}_g$ 为几何均值; σ 为对数标准离差; 浓集系数 $K_k = \dfrac{均值}{克拉克值(维氏, 1962)}$;

浓集系数 $K_b = \dfrac{均值}{区域背景值}$; 括号内数字为样数。

1. 太华群

(1)富集元素种类较多。如按富集系数>5、5~2、2~1划分出强富集元素、中等富集元素和弱富集元素(下同),那么在该地层中,相对地壳克拉克值(维氏,1962),本区 Bi 为强富集,Mn 为中等富集,Ag、Pb、Mo 弱富集;与区域背景比较,除 Zn、Co、Ba 相对亏损外,Ni 中等富集,其余元素均为弱富集。

(2)主要成矿金属元素 Au、Ag、Pb、Cu 的离差值较大,依次为 0.507、0.544、0.600、0.513,说明成矿元素在区内分布不均匀,有后期成矿作用叠加的特点。

2. 熊耳群

(1)部分元素在各组地层中含量相近,富集与亏损特征一致。如熊耳群各组中,Zn 元素含量在 $(70.15\sim72.28)\times10^{-6}$ 之间,K_b 为 1.00~1.03 变化甚微;Ba、As、Sb 三元素 K_k 值均小于 1 为亏损元素;Bi 元素在各组中均有强富集。

(2)鸡蛋坪组为成矿元素的主要富集层位。该组 Au、Ag、Pb、Zn、Mo 元素 K_b 值依次为 2.66、1.02、3.16、1.03、1.28,均有不同程度富集,其中 Au、Pb 两元素有明显富集。其余各组地层中成矿元素相对偏低,个别元素具弱富集。鉴于鸡蛋坪组地层多分布在马超营断裂带主断面附近,其受到韧性、韧脆性变形的改造并叠加有较广泛的蚀变矿化,成矿元素离差值较大,Au 平均含量(5.24×10^{-9})为该组在熊耳山地区平均含量(1.23×10^{-9},地调一队三分队)的 4.26 倍,可以认为,鸡蛋坪组以 Au 为主的成矿元素富集系后生作用的结果。

(3)Co、Ni 元素含量高低与岩性有关,随岩石基性程度增高而变大。以中基性岩石为主的许山组、马家河组中 Co、Ni 均值明显高于以酸性岩石为主的鸡蛋坪组、龙脖组。

3. 官道口群

(1)该群地层中 Ag、Pb 元素的均值分别是 0.229×10^{-6} 和 68.08×10^{-6},其 K_k、K_b 值均大于 3,富集明显,为区内 Ag、Pb 含量最高的层位。另外,相对富集的元素还有 Bi、Mn、Sr、As、Sb 等,以 Bi、Mn 富集程度较高,Sr、As、Sb 等则为弱富集。

(2)地层中 Au、Zn 平均含量分别为 1.67×10^{-9}、24.21×10^{-6},是区内 Au、Zn 含量最低的层位。Au、Zn、Cu、Co、Ni 等元素 K_k、K_b 值均小于 1,构成亏损元素组合。

(二)部分类型岩石中微量元素含量特征

由于变质类、安山岩、流纹岩及英安岩岩石已在相应地层中涉及,这里仅对区内出露的合峪岩体、中基性岩脉及发育在韧性–韧脆性剪切带中的同韧性期石英脉加以探讨。各类岩石微量元素含量特征列于表 5-2,据表可知:

(1)邻近马超营断裂带南侧的合峪岩体受到断裂带影响,其 Au、Pb、Zn 含量明显较未受影响部分偏高,而 Cu、Mo、Ba、Sr 则相对偏低。说明断裂构造促使 Au、Pb、Zn 等成矿元素产生富集,而使得受岩浆活动控制的 Cu、Mo 组分在构造带的作用下含量有所降低。

(2)同韧性期石英脉是指韧性滑脱剪切过程中析出的 SiO_2 迁移沉淀后形成的石英脉,在狮子庙一带最为发育。其内 Au、Ag、Pb、Cu、Mo 含量依次为 5.27×10^{-9}、0.238×10^{-6}、62.37×10^{-6}、27.54×10^{-6}、2.06×10^{-6},高于马超营断裂带中元素含量平均值。这些成矿元素的离差值也较大,Au、Ag、Pb、Cu 的对数离差值大于 0.944。说明同韧性期石英脉不仅具矿化富集,而且沉淀于滑脱剥离断层系不同层次断裂中的石英脉中元素含量有极大差异。

(3)中基性岩脉(闪长岩、辉绿岩)与世界中性岩(维氏,1962)相比,Au、Pb、Bi 富集显著,Cu、Ba、Sr 元素含量则不及后者,其余几种元素的含量接近。区内中基性岩脉 Co/Ni 值(0.499)大于世界中性岩(0.18)。因样品多采自东部蒲池—杨寺沟一带,且受到后期断裂活动的影响,

表 5-2　马超营断裂带二长花岗岩（含峪岩体受到断裂带影响部分）、中基性岩脉及同韧性期石英脉微量元素 $\bar{X}_g$、σ 结果

岩石名称		Au	Ag	Pb	Zn	Cu	Mo	Co	Ni	Mn	Ba	Sr	As	Sb	Bi	$\dfrac{Ba}{Sr}$
二长花岗岩(23)	$\bar{X}_g$	4.55	0.072	65.92	56.62	6.64	1.73	5.47	7.80	1 044.72	185.78	83.56	0.84	0.32	0.374	2.22
	σ	0.270	0.238	0.217	0.090	0.422	0.237	0.104	0.162	0.216	0.249	0.302	0.155	0.164	0.447	
维氏酸性岩(1962)													1.5	0.26	0.01	
含峪岩体均值		0.714	0.064	31.42	21.41	21.52	2.14	4.97	9.31	387.36	759.98	240.30				3.16
同韧性期石英(14)	$\bar{X}_g$	5.27	0.238	62.37	66.99	27.54	2.06	9.33	14.22	24 488.86	349.94	73.96	1.26	0.42	0.140	4.73
	σ	0.944	0.993	1.049	0.495	1.164	0.387	0.222	0.233	0.519	0.653	0.463	0.283	0.485	0.821	
马超营断裂带均值	$\bar{X}_g$	3.32	0.079	32.96	68.39	5.90	1.31	11.38	17.99	1 479.11	342.76	66.22	0.99	0.38	0.094	5.18
	σ	0.311	0.054	0.403	0.112	0.468	1.00	0.146	0.096	0.173	0.205	0.324	0.431	0.32	0.114	
闪长岩、辉绿(20)		8.49	0.092	42.19	73.38	9.84	0	22.8	45.68	1 364	283.6	70.64	2.24	0.32	0.364	
世界中性岩(维氏，1962)		4.00	0.07	15	72	35	0.9	10	55	1 200	650	800	2.4	0.2	0.01	

注：Au 单位为 $n \times 10^{-9}$，其余为 $n \times 10^{-6}$；（）内数字为样品数量。

其 Au 元素含量不代表同生富集的情况。

二、马超营断裂带内元素分布特征及规律

(一)元素正常分布特征及规律

元素在马超营断裂带的空间分布特征及变化趋势，不仅反映不同地质体物质组成的差异，还与该带经历长期、多阶段构造活动有关。

断裂带内主要元素地球化学分布特征参数见表 5-3。据表分析如下。

表 5-3　全区元素含量特征值

元素	$\overline{X}_g$	σ	K_k
Au	3.32	0.521	0.772
Ag	0.079	0.496	1.128
Pb	32.96	0.685	2.060
Zn	68.39	0.359	0.824
Cu	5.90	0.540	0.126
Mo	1.31	0.359	1.191
Co	11.38	0.347	0.632
Ni	17.99	0.445	0.310
Mn	1 479.11	0.349	1.479
Ba	342.76	0.379	0.527
Sr	66.22	0.437	0.195
As	0.99	0.350	0.582
Sb	0.38	0.361	0.760
Bi	0.094	0.491	10.444

注：Au 单位为 $n \times 10^{-9}$，其余为 $n \times 10^{-6}$。

1. Au

带内均值为 3.32×10^{-9}，小于克拉克值，但相对区域背景显著偏高。Au 在断裂带中分布不均匀，离差值达 0.521，仅低于 Pb 和 Cu。其区域分布受断裂构造控制，也受岩浆活动的影响。在潭头盆地以东(以下称东段)的韧性–韧脆性剪切带及北部的韧脆性剪切带中，Au 背景含量大于 2.5×10^{-9}，构成高背景区。潭头盆地以西地段(以下称西段)仅沿中部的韧性–韧脆性剪切带断续分布高背景区($>2.5 \times 10^{-9}$)，其余大部分地带包括南部的韧性剪切带、康山—上宫断裂及鸡蛋坪组断裂与马超营断裂带交汇部位之间的空当地带，构成低背景区(一般 $<1.97 \times 10^{-9}$)。

2. Ag

平均值(0.079×10^{-6})略高于克拉克值，对数离差值为 0.496，分布不均匀。构造剪切带类型与官道口群断块的出露情况影响着 Ag 的背景分布。西段韧性–韧脆性剪切带与官道口群碳酸盐岩出露部位，形成连续的近东西向带状高背景区($>0.10 \times 10^{-6}$)，南侧的韧性剪切带则为低背景区(约 0.05×10^{-6})。东段因在韧性–韧脆性剪切带内未发育碳酸盐岩地层，仅有断续分布的小规模高背景区。

3. Pb、Zn

区内 Pb 平均值 32.96×10^{-6}，富集系数 (K_k) 为 2.06，对数离差 0.685。说明 Pb 元素不仅有明显富集，还具一定的地球化学分异。Zn 均值低于克拉克值，且对数离差小，在各地质单元中分布相对均匀。Pb、Zn 元素的高背景区 $(Pb>40 \times 10^{-6}、Zn>100 \times 10^{-6})$ 主要沿马超营断裂带中部的韧性-韧脆性剪切带分布，Pb 高背景区规模大于 Zn，呈连续带状分布，而 Zn 仅具小规模、不连续的高背景区。

4. Mo

其均值为 1.31×10^{-6}，略高于克拉克值，离散程度高，达 0.359，有可能反映后生地球化学作用叠加。东段为大于 1.6×10^{-6} 的高背景区，而西段仅在局部有小规模高背景区分布，其余大部分为小于 1.3×10^{-6} 的正常或低背景区。

5. Co、Ni

两者空间分布特征相似，主要受地层控制。西段中部出露地层以官道口群、熊耳群鸡蛋坪组、龙脖组酸性火山岩为主，南北两侧为熊耳群中基性火山岩，使 Co、Ni 元素形成"中部低、两边高"的分布特点。东段以酸性火山岩为主，为 Co、Ni 低背景分布区。

6. Mn、Ba、Sr

全区 Mn 均值为 1479.11×10^{-6}，离差值 0.349，在不同地层中的含量无明显差异。沿某些脆性断裂，常见 Mn 呈长条状或串珠状的高值区 $(>2512 \times 10^{-6})$ 分布，面积小；Sr 的背景分布与地层关系密切，太华群、官道口群为高背景区分布区，熊耳群为 Sr 的低背景区；Ba 元素在不同地层中的分布规律不明显，但其高值区与脆性断裂有一定关系。此外，在西区南侧的官道口群地层中具 Ba 元素高背景分布区，并形成低缓同生异常。

7. As、Sb、Bi

As、Sb 在区内的分布严格受断裂构造控制。其高背景区均分布于中部韧性-韧脆性剪切带与北侧的韧脆剪切带内，呈不连续的带状或透镜状。南侧的韧性剪切带内均为低背景区。Bi 均值 0.094×10^{-6}，为区内特征的强富集元素。东段为 Bi 的高背景分布区 $(>0.16 \times 10^{-6})$；西段在不同构造剪切带内均有 Bi 的高背景地段，但以中部的韧性-脆韧性剪切带内的规模大。

上述各元素的分布特征，反映出以下几点规律：

(1)马超营断裂带的多期构造活动，特别是海西—印支期的滑脱剪切作用，使主要成矿元素 Au、Ag、Pb、Zn、(Cu)等在南侧韧性剪切带发生活化迁移，在中部韧性-韧脆性剪切带及北侧韧脆剪切带富集，形成相对集中分布的高背景值区(带)。

(2)东、西段 Au、Pb、(Cu)、Mo、Bi 元素地球化学背景分布区差异显著，在东段高背景分布区规模大、强度较高，西段规模小、强度较低。

(3)Co、Ni、Si 等元素的背景值的高低主要受地层及岩性控制。

(二)元素异常特征及分布规律

马超营断裂带是元素地球化学分异强烈的区域，其元素异常特征与断裂构造密切相关。本次研究根据图解法，结合背景区样品统计计算，得到各元素的背景及异常下限(见表 5-4)。利用三点滑动平均法对剖面化探数据进行处理并在平面图中圈定了马超营断裂带 Au 及有关元素异常，其中 Au 异常 9 个，其他共 83 个(详见表 5-5)。

Au 及有关元素异常的浓度分级依据 a^nT $(a=2$ 或 3，$n=0，1，\cdots，n)$ 进行，划分结果列于表 5-6。现将 Au 及主要成矿元素异常特征简述如下。

表 5-4   马超营断裂带区域元素背景值及异常下限

项目	Au	Ag	Pb	Zn	Cu	Mo	Co	Ni	Mn	Ba	Sr	As	Sb	Bi
背 景 值	1.97	0.06	19	70	8	1.2	17	22	1 390	330	100	0.9	0.31	0.057
异常下限	6.3	0.25	80	150	25	2.5	63	100	5 600	1 585	630	2.5	1.1	1.0

注：Au 单位为 $n \times 10^{-9}$，其余为 $n \times 10^{-6}$。

表 5-5   金及有关元素异常数目

元 素	Au	Ag	Pb	Zn	Cu	Mo	As	Sb	Bi
异常数	9	11	9	9	13	8	16	9	8

表 5-6   马超营断裂带金及有关元素异常浓度分级结果

分级	Au	Ag	Pb	Zn	Cu	Mo	As	Sb	Bi
Ⅰ	6.3～19	0.25～0.75	80～160	150～300	25～50	2.5～5.0	2.5～50	1.1～2.2	1.0～2.0
Ⅱ	19～57	0.75～2.25	160～320	300～600	50～100	5.0～10.0	5.0～10.0	2.2～4.4	2.0～4.0
Ⅲ	>57	>2.25	>320	>600	>100	>10.0	>10.0	>4.4	>4.0

注：Au 单位为 $n \times 10^{-9}$，其他为 $n \times 10^{-6}$。

1. Au 元素异常特征

马超营断裂带内 Au 元素异常特征见表 5-7。Au 异常面积大小不一，最大超过 43 km²，小者仅 0.5 km²。异常强度最高达 $1 450 \times 10^{-9}$，一般为 $(7 \sim 14) \times 10^{-9}$。异常衬值较低，多数小于 2，仅 7 号异常的衬值(2.206)大于 2。金异常往往伴有 Ag、Pb、Zn、Cu 等多金属元素异常。

规模较大的 7、9 号 Au 异常均分布于东段，前者异常规模($\overline{X} \cdot S / T$)为 94.9，后者大于 42.2。据区内有关矿产资料，Au 元素异常规模大于 5 的 3、5、7、8、9 号异常，均对应有已知金矿床或金矿化点，而其余几个规模较小的异常则无已知金矿床(点)。这说明异常规模与金矿床的形成关系密切。

除分布于南部韧性剪切带之上的 2 号异常外，金异常一般均具明显的浓度分级。面积较大的 7、9 号异常具 5 个Ⅲ级浓集中心。已知金矿床均位于Ⅱ级或Ⅲ级浓集中心内，如康山—星星阴金矿位于 3 号异常浓集中心，前河、店房金矿位于 7 号异常的浓集中心等。

Au 异常空间分布及形态严格受断裂构造控制。异常空间分布与马超营断裂带展布方向一致，形态多呈带状、长透镜状等，长宽比为 1：10～1：50。在异常边部，浓度下降迅速，出现浓度梯度的"陡变带"。多数 Au 异常分布于马超营断裂中部韧性–韧脆性剪切带及北部的韧脆性剪切带内，并且自西而东分段浓集。南部韧性剪切带内金异常分布甚少，且强度弱，无浓度分带，说明南部对成矿不利。

2. 与 Au 相关元素的异常特征

1）Ag、Pb、Zn

异常的空间分布及形态与 Au 异常类似。Ag 异常多分布在中部韧性–韧脆性剪切带及北部的韧脆性剪切带内，形态以长条状为主并与马超营断裂展布方向一致，局部受 NE 向次级断裂影响有一定变化。Ag 异常强度高，最大为 38×10^{-6}，平均为 $(0.3 \sim 0.56) \times 10^{-6}$，多具Ⅱ、Ⅲ级浓集中心，异常规模较大，与 Au 异常套合一致，两者关系密切。东段 Ag 异常规模相对较小，分布范围限于 Au、Pb 异常的浓集部位；Pb 异常强度平均为 $(80 \sim 250) \times 10^{-6}$，最高峰

表 5-7　马超营断裂带金元素异常特征

异常编号	异常形态	异常面积 S	异常强度 $\overline{X}$ 最高	异常强度 $\overline{X}$ 平均	衬值	异常规模 $\overline{X} \cdot S$	异常规模 $\overline{X} \cdot S / T$	异常元素组合	异常分级	备注
1	长条状	>3.2	255	8.6	1.365	>27.52	>4.368	Au、Ag、Pb、Zn、Cu、Mo、As、Sb	I、II、III	西端未封闭，位于北部（韧脆性剪切带）
2	长条状	0.5	12.7	7.4	1.175	3.7	0.588	Au、Ag	I	位于南部（脆性剪切带）
3	长条状	5.1	290	6.9	1.095	35.19	5.584	Au、Ag、Pb、(Zn)、Cu、Mo、As、Bi	I、II、III	位于中部（韧性-韧性剪切带）
4	长条状	3.7	1 450	6.6	1.048	24.42	3.878	Au、Ag、Pb、Zn、Cu、(As)、Sb	I、II、III	位于中部（韧性-韧脆性剪切带）
5	似椭圆形	5.5	69	7.2	1.143	39.6	6.286	Au、Ag、Pb、Zn、Cu、Mo、As、Sb、Bi	I、II	位于中部及北部
6	长透镜状	3.8	295	7.2	1.143	27.36	4.343	Au、Ag、Pb、Zn、Sb	I、II	位于中部
7	线型状	>43	850	13.9	2.206	597.7	94.858	Au、Ag、Pb、Zn、Cu、Mo、As、Sb、Bi	I、II、III	位于中部及北部
8	长透镜状	4.2	140	10.3	1.635	43.26	6.867	Au、Ag、Sb	I、II	位于中部及南部
9	不规则带状	>28	1 250	9.5	1.508	>266.0	>42.224	Au、Ag、Pb、Zn、Cu、Mo、As、Sb、Bi	I、II、III	位于中部及北部；东端未封闭

注：S 为异常面积，km^2；$\overline{X}$ 为异常强度，$n \times 10^{-9}$；T 为异常下限。

值达 5%。区内具Ⅲ级浓集中心的 Pb 异常共 5 个（1、3、6、7、8 号），已知金矿床或铅锌矿与其相对应。东段 8 号铅异常规模最大，沿断裂带展布，长 30 余 km，面积大于 75 km²，衬值 1.8，规格化面金属量大于 135，发育有前河、杨庄、店房、银鹿坪—杨寺沟等多处Ⅲ级浓集中心，说明区内 Pb 具较强的地球化学活动性并发生了明显的迁移富集；Zn 异常强度为 $(143\sim281)\times10^{-6}$，规模较小，面积一般小于 5.5 km²。Zn 异常在中部韧性–韧脆性剪切带内分段分布，各单个异常梯度变化不大，以Ⅰ级为主，少数具Ⅱ级或Ⅲ级浓集中心，这与区内 Zn 元素变化系数不高是吻合的。

2）As、Sb、Bi

As 异常形态以长条状及椭圆形为主，长轴方向呈 NWW 向，在局部与 NE 向断裂的交汇部位，异常具复合形态。As 异常强度低，规模小，异常面积多小于 2.5 km²。已知金矿区内 As 异常不发育，沿马超营断裂带东、西两端 As 异常分布较为集中；Sb、Bi 异常形态、规模与 As 相近。Sb 异常分布在已知金矿区的边部，衬值低、浓度梯度变化小，仅白土太洞沟铅矿、上蒲池两处的 3、9 号异常具Ⅲ级浓集中心。Bi 是区内特征强富集元素，其异常强度明显高于熊耳山北缘西施—上宫一带。Bi 异常面积一般小于 3.0 km²，深度梯度变化明显，已知金矿区均具 Bi 浓集中心，显示其与 Au 矿体在空间分布的相关性。

上述金及相关元素的异常特征，反映出如下几条规律：

（1）地层本身对成矿元素异常的控制不明显。

（2）各主要成矿元素异常与矿化剂元素（As、Sb、Bi）异常主要分布在中部韧性–韧脆性剪切带及北部韧脆性剪切带，并具分段富集特征。南部韧性剪切带内异常极不发育，仅形成个别规模小、强度低的 Cu、Mo、Bi 等元素异常。

（3）异常展布与马超营断裂带一致，形态多呈长条状，在异常边部出现浓度梯度"陡变带"。

以上表明，断裂构造特别是韧性–韧脆性剪切带控制着本区金及与其相关元素的异常规模、形态和空间分布规律。

三、区域成矿能地球化学特征

用成矿能来研究地球化学晕的方法系苏联学者 Н·И·萨弗罗诺夫提出的。萨氏认为成矿能是促使元素由分散状态转向富集成矿（晕）消耗的能量。在成矿过程中，元素的浓缩和稀释，均要通过消耗能量才能完成，其能耗之和即为总成矿能。他以物理化学原理为基础，导出有几种元素参与的成矿过程，单位体积矿石（晕）上成矿能消耗（E）的计算公式为

$$E = \sum K_i$$

式中，K_i 是第 i 种元素始态浓度（C_0）和终态浓度（C）的比值，浓缩时 $K_i = C/C_0$，稀释时 $K_i = C_0/C$。

我们把元素浓缩时成矿能消耗称为带入能（$E_{(R)}$），稀释时成矿能消耗称为带出能（$E_{(C)}$），$E = E_{(R)} + E_{(C)}$。由于马超营断裂带是元素强烈富集区，其能耗必然以带入能为主，使得我们可以从各部位 $E_{(R)}$ 值入手分析区内各种元素的总体分散富集规律。始态浓度取全区微量元素含量几何均值（表 5-3），终态浓度按各样点分析值。参予计算的元素有 Au、Ag、Pb、Zn 等 14 种。对计算结果进行三点滑动后，以 10^n（$n=1,2,\cdots,i,i\neq0$）绘出全区成矿能 $E_{(R)}$ 等值线（见图 5-1）。由该图可以看出：

（1）马超营断裂带内，$E_{(R)}$ 异常值（>100）沿断裂带呈近 EW—NWW 向断续分布，异常受断裂带中部韧性–韧脆性剪切带控制。其形态以带状、长条状为主，部分为透镜状及不规则状。在断裂复合交接部位，异常膨大及不规则化，而且展布方向也有一定变化。$E_{(R)}$ 异常形态及

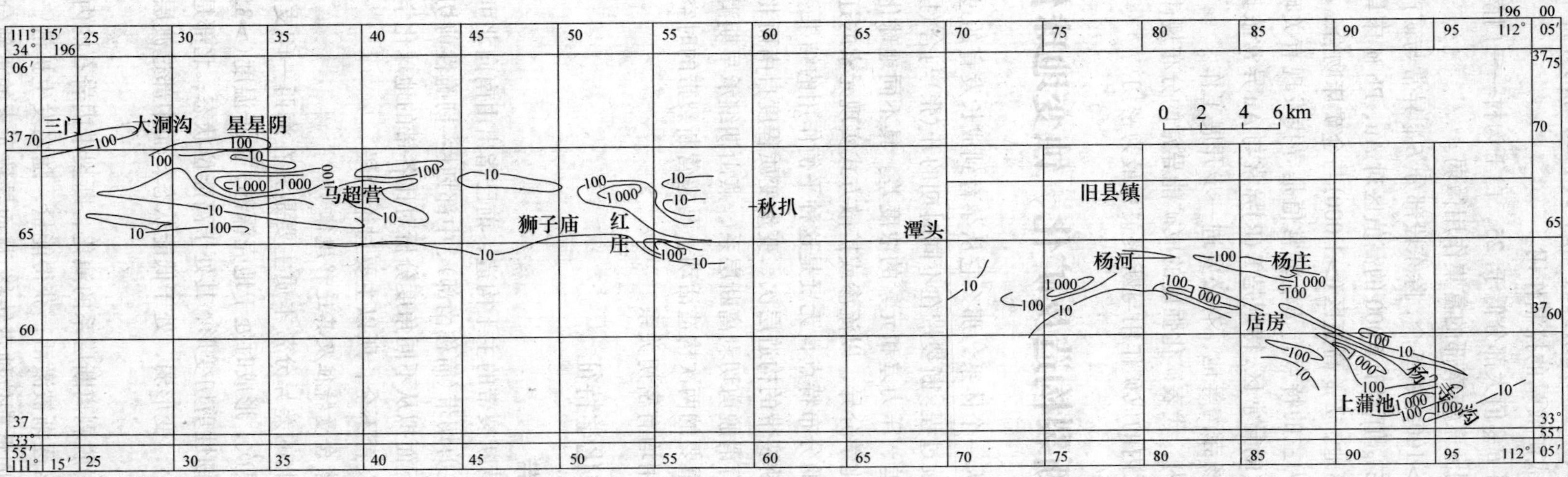

图 5-1　熊耳山南缘马超营断裂带成矿能等值线图

分布规律，与前述各主要成矿金属元素 Au、Ag、Pb、Zn 等的异常十分相似，但又更加清晰地反映了断裂及其性质对成矿成晕的控制作用。

(2)南部韧性剪切带内 $E_{(R)}$ 值大部分低于 25，白玉沟村—三门南，沿该带尚分布有大面积低于 10 的低值区，表明元素在南部的富集作用微弱。

(3)区内 $E_{(R)}$ 异常区(>100)共 15 个，除东段部分 $E_{(R)}$ 异常与矿产的关系尚待查明外，其余均与金、铅矿产有关。$E_{(R)}$ 值大于 1 000 的高值区对 Au、Pb 矿床具确切的指示作用，如康山—星星阴、红庄、店房等地，$E_{(R)}$ 高值区(>1 000)与金矿床吻合；在太洞沟则与铅矿吻合。说明区内成矿以 Au、Pb 为主的特点，$E_{(R)}$ 异常值是寻找发现有关矿产的有效手段。因此，在地质找矿尚未突破的 E(R)异常区，特别是 E(R)异常与 Au 异常浓集中心基本吻合的地方，如杨庄、银鹿坪—横岭、杨寺沟等地，有必要进一步开展工作。

总之，马超营断裂带内，代表矿化强度的成矿能异常的分布规律明显受断裂(活动强度、规模、性质)控制，说明区内的成矿作用与断裂关系最为密切。

第二节　断裂构造及矿化、蚀变地球化学特征

若把马超营断裂带视为一个体系，那么它从孕育到成长发育的过程则是该体系从非平衡状态到新的平衡状态的持续过程。断裂带在不同时期的开(张)与合(挤)、能量的交换与释放，均使其不同部位出现温度差、压力差和元素的浓度差。具不同地球化学性质的元素在此外部条件下，将发生构造地球化学分异，以流渗或扩散方式实现元素的迁移，趋向新的平衡。前述马超营断裂带内各元素的分布特点，无疑是这种平衡作用的结果。

从空间上看，马超营断裂带的构造层次、变形变质程度自南而北具明显的分带性；从时间上看，海西—印支期发育滑脱剪切剥离断层系，燕山期继承早期滑脱面发育逆冲推覆型构造，这是马超营断裂最为重要的两次构造活动。马超营断裂带的时空演化特征，与断裂构造地球化学及矿化、蚀变作用均有密切关系。

一、断裂构造地球化学特征

(一)近东西向断裂构造带

近东西向断裂是马超营断裂带的主干构造，前已指出由南向北可将其分为变形程度差异明显的三部分，即南部韧性剪切带(简称南部)、中部韧性-韧脆性剪切带(简称中部)和北部韧脆性剪切带(简称北部)。下面拟从不同角度分析对比各带的地球化学特征，东段由于合峪岩体吞噬，南部韧性剪切带发育不全，所以主要讨论西段。

1. 断裂带不同部位元素含量特征及其迁移规律

近东西向断裂由南而北的差异分带本质主要是其在海西—印支期滑脱剪切时构造层次不同。南部代表深部构造层次，形成时处于地壳深部，由于温度(>350℃)压力高，岩石呈塑性-半塑性状态，主要发生韧性剪切变形，其处于高能位状态；北部是浅层次为主的产物，与南部相比，温度低、压力小，变形弱，处于低能状态；而中部过渡层次的能位则处于由高向低的转变状态。

在此背景之下，随着滑脱剥离断层系的演化，断裂带内岩石的内应能将不断变化，使组成岩石、矿物的粒子或元素逐渐被激活，获得能量，随之发生扩散、转移，而各种元素扩散转移的总趋势是"从高能位向低能位地带转移,从而导致元素的重新分配与调整"(杨国清等)。

也就是说，元素在构造应力作用下，其总体迁移规律是从断裂带深部构造层次迁向过渡或浅部构造层次，在空间上表现为由南向北迁移的规律。

燕山期推覆构造活动及与其相关的热液活动，使成矿元素在推覆构造上盘进一步叠加富集，强化了区内由滑脱剪切作用所形成的元素迁移富集的格局。

表 5-8 与图 5-2 清楚地表明，微量元素在马超营断裂带不同部位的变化特征。中、北部

表 5-8　马超营断裂带西段近东西向韧性–韧脆性断裂构造南、中、北元素地化特征值对比

元素特征值类别 带别		Au	Ag	Pb	Zn	Cu	Mo	Co	Ni	Mn	Ba	Sr	As	Sb	Bi
南部 (135)	$\bar{X}_g$	2.09	0.056	16.83	62.80	6.47	1.18	13.21	22.23	1 592.2	442.6	78.5	0.970	0.275	0.067
	σ	0.233	0.212	0.482	0.231	0.516	0.145	0.311	0.390	0.260	0.445	0.437	0.262	0.282	0.166
	C_v	72.9	−16.9	39.3	12.9	63.6	204.7	27.8	29.0	8.1	16.8	23.0	−2 088.4	−50.4	−14.2
中部 (157)	$\bar{X}_g$	2.52	0.094	35.16	84.14	7.66	1.31	13.49	20.04	1 745.8	460.2	95.5	1.062	0.472	0.097
	σ	0.440	0.62	0.733	0.383	0.585	0.245	0.294	0.388	0.394	0.419	0.427	0.301	0.440	0.595
	C_v	109.8	−60.4	47.4	19.9	66.2	210.4	26.0	29.8	12.1	15.8	21.6	1 153.4	−135.1	−58.8
北部 (67)	$\bar{X}_g$	2.42	0.067	19.91	66.88	8.53	1.30	16.90	38.9	2 249.0	435.5	116.1	1.368	0.357	0.090
	σ	0.475	0.447	0.541	0.365	0.430	0.273	0.287	0.498	0.291	0.427	0.404	0.356	0.339	0.226
	C_v	2.5	−38.2	41.6	20.0	46.3	240	23.4	31.3	8.7	16.2	19.6	262.9	−76.0	−21.7

注：Au 单位为 $n\times10^{-9}$，其他为 $n\times10^{-6}$；$\bar{X}_g$ 为几何均值；σ 为对数离差；C_v 为变化系数；( ) 内为样品数。

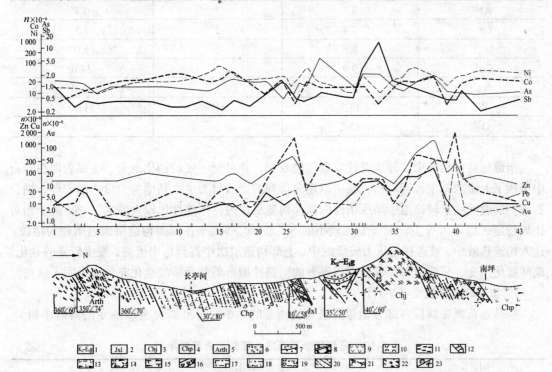

图 5-2　栾川县狮子庙长亭河—南坪马超营断裂带地质地球化学剖面图

1—上白垩系—古新统高峪沟组；2—蓟县系龙家园组；3—长城系焦园组；4—坡前街组；5—太古界太华群；
6—第四纪砂砾层；7—砂砾岩；8—结晶白云质大理岩或白云岩；9—安山岩；10—流纹岩；11—条带状混合；
12—辉长岩脉；13—碎裂安山岩；14—碎裂流纹岩；15—碎裂粗安岩；16—断裂带及断层角砾岩；
17—糜棱岩化粗面岩；18—糜棱岩化安山岩；19—糜棱岩化流纹岩；20—糜棱岩；21—二云千糜岩；
22—绢云千糜岩；23—硅化，钾长石化

的 Au、Ag、Pb、Zn、Cu、Mo 等成矿元素平均含量均高于南部。其中，中部的 Au、Ag、Pb、Zn 等元素含量最高，与区域背景相比，形成富集元素组合；南部除 Au 元素含量略高于区域背景外，其余成矿元素均有不同程度的亏损。南部的微量元素含量曲线相对平缓、起伏变化较小，仅太华群出露部位出现部分元素的次级峰值，显示一定的同生富集特征。中部的元素含量曲线起伏不定，并在韧脆性断裂叠加部位形成两处高峰值区，Au、Cu、Pb、Zn 呈显著正相关，Au、Pb、Zn 集中在断裂叠加部位及其上盘，As、Sb 在次级断裂的上盘最为发育。北部因剖面涉及较少，暂不讨论其元素含量曲线变化特征。

常量元素在各部位间的迁移变化，主要取决于组成构造岩石的元素离子半径及压缩性和所处构造环境的压力条件。

在高压环境下，某些元素离子可以通过缩小体积来适应高压环境，呈稳定状态，有的元素则在高压下变得不稳定，具更大的活动性，易于从高压区迁出。我们把元素离子受力后改变稳定性的这种性质叫做离子的压缩性。张文佑(1984)计算了元素离子压缩性(见表 5-9)并提出：地壳中主要元素活动性随压应力的增强，按下列顺序递减：$Si^{4+} \rightarrow Al^{3+} \rightarrow Mg^{2+} \rightarrow Fe^{2+} \rightarrow Ca^{2+} \rightarrow O^{2-} \rightarrow Na^+ \rightarrow K^+$。

表 5-9　地壳中主要离子的压缩性

离子	半径(nm)	离子数目 Z(个)	压缩性($r^4 / (Z^2 \times 100)$)
Si^{4+}	4.2	4	0.2
Al^{3+}	5.1	3	0.7
Fe^{2+}	7.4	2	7.5
Mg^{2+}	6.6	2	5.0
Ca^{2+}	9.9	2	24.0
Na^+	9.7	1	88.0
K^+	13.3	1	313.0
O^{2-}	13.2	2	75.0

南部韧性剪切带中，钾质交代现象比较发育，并可见一定的钠化现象，主要表现在岩石中出现了大量的新生含钾矿物，其中以定向排列的黑云母为主，其他为少量的绢云母、钠长石等。这说明在具较高温、高压条件的深部构造层次内，压缩性比较大的 K^+、Na^+ 离子相对比较稳定，以带入为主。而压缩性较小的 Si^{4+}、Ca^{2+} 等离子在深部构造层次内则较为活泼，迁入构造热液中，被运移至压力较低的中、上部构造层次中逐渐析出沉淀，发生较强的硅化、碳酸盐化蚀变，马超营断裂带内广泛发育的同韧性期石英脉及碳酸盐化充分地说明了这点。

2. 微量元素离散变异序列

据马超营断裂西段各部分微量元素几何离差的大小，得出如表 5-10 所示的离散序列。

表 5-10　马超营断裂西段各部分元素离散序列

带别	范围				
	>0.5	0.5~0.4	0.4~0.3	0.3~0.2	<0.2
南部	Cu	Pb、Ba、Sr	Ni、Co	Sb、As、Mn、Au、Zn、Ag	Bi、Mo
中部	Pb、Ag、Bi、Cu	Au、Sb、Sr、Ba	Mn、Ni、Zn、As	Co、Mo	
北部	Pb	Ni、Au、Ag、Cu、Ba、Sr	Zn、As、Sb	Mn、Co、Mo、Bi	

将元素离散序列按照元素地球化学意义分组，可看出：

（1）断裂带不同部位成矿金属元素的离散程度具明显差异。南部的离散程度低，Au、Zn、Ag（<0.3）变异不明显，Mo（<0.2）基本稳定，仅 Cu、Pb（>0.4）较为活跃；中部 Pb、Ag、Cu 元素的离散度大于 0.5，Au 离散度大于 0.4，表明该带成矿元素含量变异显著，是金及多金属矿化的有利地带；北部的成矿金属元素的离散程度高于南部，低于中部，Pb 大于 0.5，Au、Ag、Cu 大于 0.4，说明该部位也有一定的矿化叠加作用。

（2）矿化剂元素（As、Sb、Bi）在南部分布处于稳定（<0.2）和亚稳定状态（<0.3）；在中部则变异明显，As 离散度大于 0.3，Sb 大于 0.4，Bi 大于 0.5；而在北部 As、Sb 的离散度均大于 0.3，有一定的迁移富集特征，Bi 元素（<0.3）较为稳定。

（3）造岩元素 Ba、Sr 在各部位的离散程度基本一致，说明它们的离差大小受断裂影响不大，主要是由地层、岩性所控制。

3. 成矿元素含量分布形式

马超营断裂带西段各部位成矿元素含量分布形式见图 5-3，从图中不难看出：

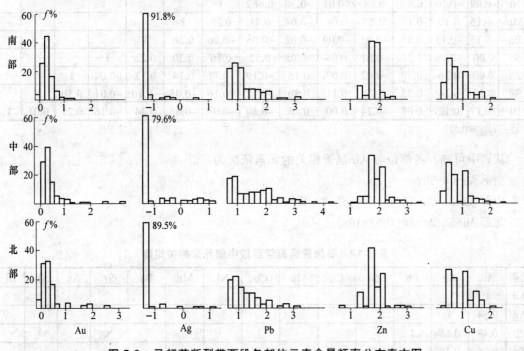

图 5-3　马超营断裂带西段各部位元素含量频率分布直方图

各部位成矿元素背景分布形式相似，呈对数正态分布，具单一或多重背景母体，但同一元素在不同部位的叠加母体及规模均有较大差异，反映各部位成矿元素的迁移富集与叠加矿化具不同特征。

南部成矿元素以背景母体为主，异常或矿化母体不发育，反映成矿元素在韧性剪切带内富集不明显、矿化作用弱的地球化学特征。中部、北部的矿化与异常母体发育。中部 Au 元素在背景基础上叠加有四个异常及矿化母体，第一异常母体与背景分离不明显但规模较大，可能反映该部位在滑脱剥离过程中 Au 元素的初始富集作用，其余三个异常母体呈孤立状分布，明显与后期矿化叠加有关，说明中部 Au 元素富集强度高且具多阶段性。北部金元素有三个较弱的互相分离的叠加异常母体，反映其矿化富集强度可能低于中部。Ag、Pb、Zn 等元素的含量频率直方图也清楚地表明，它们在中部的异常或矿化母体的强度、规模均大于北部，说明中部是马超营断裂带最为有利的成矿地带，这与元素异常空间分布特征是一致的。

4. 相关元素组合

马超营断裂带西段各部位元素微量元素相关分析结果见表 5-11～表 5-13。

表 5-11　马超营断裂带西段南部元素相关矩降

元素	Au	Ag	Pb	Zn	Cu	Mo	Co	Ni	Mn	Ba	Sr	As	Sb	Bi
Au	1													
Ag	0.02	1												
Pb	0.01	0.23	1											
Zn	0.04	−0.20	0.16	1										
Cu	0.29	0.24	0.11	0.10	1									
Mo	−0.01	0.00	0.29	0.21	0.02	1								
Co	−0.04	−0.24	−0.11	0.52	0.06	−0.20	1							
Ni	−0.09	−0.10	0.07	0.18	−0.01	−0.30	0.662	1						
Mn	−0.16	0.10	0.18	0.27	0.06	−0.04	0.41	0.25	1					
Ba	−0.15	−0.13	0.05	−0.08	−0.09	−0.02	−0.08	−0.06	0.26	1				
Sr	0.00	−0.03	0.21	−0.01	0.04	−0.08	0.32	0.16	0.30	0.22	1			
As	0.00	0.36	0.30	−0.02	0.07	0.15	−0.19	−0.11	0.14	0.12	−0.04	1		
Sb	0.22	0.14	0.35	0.22	0.11	0.30	−0.12	−0.16	−0.05	−0.10	−0.01	0.50	1	
Bi	−0.17	0.12	0.08	−0.24	0.00	0.16	−0.30	−0.07	−0.05	0.24	−0.16	0.21	0.01	1

注：$r_{0.01}^0 \approx 0.22$。

从表中可知，各部位与 Au 显著相关的元素依次为：

南部 Au-Cu-Sb；

中部 Au-Bi-Cu-Ag-Pb-Zn、Sb-Mo-Mn-As；

北部 Au-Sb-Mo-Ag-(Pb)-(As)。

表 5-12　马超营断裂带西段中部元素相关矩降

元素	Au	Ag	Pb	Zn	Cu	Mo	Co	Ni	Mn	Ba	Sr	As	Sb	Bi
Au	1													
Ag	0.54	1												
Pb	0.48	0.68	1											
Zn	0.36	0.38	0.47	1										
Cu	0.56	0.49	0.42	0.37	1									
Mo	0.32	0.20	0.26	0.25	0.40	1								
Co	−0.14	−0.19	−0.33	−0.02	0.07	−0.07	1							
Ni	−0.05	−0.14	−0.21	0.01	0.11	−0.20	0.55	1						
Mn	0.27	0.29	0.26	0.21	0.18	0.11	0.19	0.17	1					
Ba	0.08	0.04	0.09	0.30	0.05	0.04	−0.03	−0.08	0.33	1				
Sr	−0.08	0.01	0.04	0.09	−0.08	0.00	0.18	0.01	0.18	0.25	1			
As	0.26	0.46	0.49	0.23	0.29	0.15	−0.15	−0.16	0.10	0.03	0.04	1		
Sb	0.36	0.52	0.56	0.28	0.30	0.18	−0.29	−0.20	−0.02	−0,10	0.08	0.53	1	
Bi	0.59	0.37	0.36	0.25	0.56	0.51	−0.06	0.09	0.02	0.01	−0.07	0.22	0.34	1

注：$r_{0.01}^0 \approx 0.20$。

表 5-13　马超营断裂带西段北部元素相关矩降

元素	Au	Ag	Pb	Zn	Cu	Mo	Co	Ni	Mn	Ba	Sr	As	Sb	Bi
Au	1													
Ag	0.33	1												
Pb	0.30	0.62	1											
Zn	0.17	0.55	0.61	1										
Cu	0.01	0.08	0.16	0.09	1									
Mo	0.42	0.56	0.34	0.33	0.28	1								
Co	−0.19	−0.13	−0.21	0.02	−0.12	−0.17	1							
Ni	−0.04	−0.17	−0.05	0.06	0.15	−0.10	0.58	1						
Mn	0.01	0.08	−0.04	0.03	−0.01	0.15	0.46	0.24	1					
Ba	0.11	0.23	0.16	0.23	−0.12	0.30	−0.12	−0.33	0.21	1				
Sr	0.07	0.30	0.00	0.08	0.12	−0.11	0.33	0.28	0.35	0.31	1			
As	0.30	0.29	0.37	0.00	0.13	0.40	−0.14	0.00	0.00	0.05	−0.05	1		
Sb	0.43	0.20	0.37	0.15	−0.01	0.06	−0.12	−0.06	−0.04	0.11	0.06	0.50	1	
Bi	0.16	0.18	0.39	0.07	0.25	0.18	−0.05	0.01	0.18	−0.01	−0.04	0.33	0.48	1

注：$r_{0.01}^0 \approx 0.31$。

　　这表明南部与 Au 显著相关元素少，金矿化弱，中部与 Au 相关元素多，而且 Au 与多金属成矿元素具密切稳定的相关关系，与 Au 密切相关的元素和区内具金成矿意义的异常元素组合一致，北部与 Au 显著相关元素略少于中部，相关元素组合与中部相似，其中 Au 与 Sb、As 等元素的相关性较显著。其余成矿元素（Ag、Pb、Zn、Cu、Mo）相互间的相关性总体来看，以中部最显著，北部次之，南部则一般不显著。

　　总之，马超营近东西向断裂带的空间分带决定了微量元素地球化学特征的空间变化。中部韧性–脆韧性剪切带及北部韧脆性剪切带相对南部深层次的韧性剪切带，为一大规模的构造减压带，由于金在迁移过程中总是向区域的构造减压带迁移，所以金在中部及北部显著富集。

(二)其他方向的韧脆性断裂中元素含量变化特征

　　其他方向的韧脆性断裂在区内以 NE、NW 及近 SN 向为主。其中 NE 向断裂最发育，规模较大的有康山—上宫断裂和焦园断裂等，NW 及 SN 向规模一般较小。

　　经我们对实测的数十条构造地化剖面资料研究，已初步查明：

　　(1)叠加于南部韧性切带之上的脆性断裂数量小，规模小，元素含量变化不大，富集度一般小于 2，各成矿元素之间含量变化不一致，无显著相关性。

　　(2)在马超营断裂带中，北部所发育的不同方向的韧脆性断裂内或其边部，成矿元素均有明显富集现象，但不同元素，不同方向断裂上富集程度差异较大。NE 向富集程度总体较高，近 SN 向次之，NW 向较差。Au、Ag、Pb 含量在断裂带增高幅度最大，富集度由几到数百，如 Au 元素由断裂边部的 2×10^{-9} 左右，到断裂中部可上升两个数量级以至达到工业品位；Zn、Cu 变化较小；Co、Ni 元素含量变化不定，有时在断裂内富集，有时反而下降；Sr 元素一般与 Au、Ag 呈负相关。

　　(3)主要常量元素的含量因受韧脆性断裂的影响，而发生规律性变化：①SiO_2 含量从原岩→弱蚀变构造岩有所降低，在主断裂带内则增加；②Al_2O_3 含量在不同岩性中有升降，而在断裂带内总是降低；③CaO 含量在断裂构造带中心硅化强烈处常降低，但在断裂带边部及围岩中含量上升；④K_2O 的含量变化与断裂构造带内及两侧围岩中绢云母化强度有关，一般绢云母化增强，K^+ 带入。但在断裂矿体发育部位，发生 K^+ 带出，K_2O 含量最低。

(三)金及有关元素在主要构造岩石中的分配特征

马超营断裂带内及两侧与构造活动有关的岩石，可据其变形程度分为三种类型：

(1)韧性变形岩石。包括糜棱化××岩、××质糜棱岩。糜棱岩及千糜岩，主要分布在南部、中部。

(2)未变形–弱脆性变形岩石。分布于马超营断裂带中部及北部、基本保留原岩的外观均等特征，但微细裂隙发育，常见硅化、碳酸盐化及绢云母、绿泥石化蚀变。

(3)强脆性变形岩石。位于脆性断裂带内，具碎裂、压碎或角砾状构造的构造岩。

各类构造变形岩石中 Au 及有关元素的含量计算结果列于表 5-14 中。由表中可以看出，马超营断裂带内不同变形岩石中元素分配很不平衡：强脆性变形岩石 Au 平均含量 7.41×10^{-9}，最高 1448.77×10^{-9}；未变形–弱脆性变形岩石次之，Au 平均含量 3.96×10^{-9}，最高 299.92×10^{-9}；韧性变形岩石 Au 平均含量（2.17×10^{-9}）略高于背景值，最高 57.02×10^{-9}。三种构造岩的最高含量依次相差一个数量级，平均含量成倍递减。Ag、Pb、Zn 等元素含量变化趋势与 Au 相似。

表 5-14　马超营断裂带不同构造变形岩石中元素含量几何均值

变形程度	Au	Ag	Pb	Zn	Cu	Mo	As	Sb	Bi
韧性变形岩石(112)	2.17	0.057	16.56	71.12	5.89	1.18	0.937	0.275	0.079
未变形–弱脆性变形岩(251)	3.96	0.064	42.66	73.11	5.75	1.41	0.902	0.426	0.096
强脆性变形岩石(197)	7.41	0.128	91.62	95.94	9.33	2.00	1.803	0.590	0.170
区域背景	1.97	0.06	19	70	8	1.2	0.9	0.31	0.057

注：Au 单位为 $n \times 10^{-9}$，其他为 $n \times 10^{-6}$，（）内为样品数。

原岩性质相近，变形程度不同的构造岩，其成矿元素的含量变化规律更明显。图 5-4 为区内主要赋矿地层鸡蛋坪组英安岩、流纹岩改造前后主要成矿元素平均含量变化曲线图。熊耳山区鸡蛋坪组 Au 几何均值为 1.23×10^{-9}（地调一队三分队），韧性变形后略有提高（2.12×10^{-9}）。在脆性变形改造的岩石中，Au 含量则大幅上升；在弱脆性变形的英安、流纹岩中 Au 含量为 5.27×10^{-9}；在强脆性变形部位高达 10.23×10^{-9}，富集明显。Ag、Pb 元素含量在韧性变形后基本未变，而脆性变形部位的变化与 Au 元素一致。

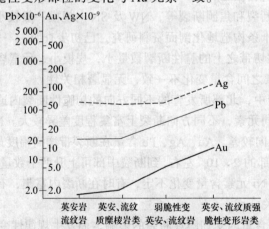

图 5-4　焦园组地层变形改造后元素含量变化曲线

在马超营断裂带内不同构造岩类成矿元素的分配规律表明：尽管韧性剪切带对元素的迁移富集起着重要的控制作用，但韧性变形岩石并非金及有关成矿元素的富集岩石，发育在马超营断裂带中，北部的韧脆性断裂内及外围，是 Au 等成矿元素最为有利的矿化富集部位。

二、矿化、蚀变作用地球化学特征

(一)矿化、蚀变岩石组合特征

1. 蚀变作用及蚀变岩石组合

受马超营断裂长期活动的影响，区内蚀变作用具有多种类、多期次的特点。同种蚀变可多次发生，而不同蚀变又相互叠加，形成复杂的构造蚀变岩。主要的蚀变作用种类包括黑云母化、绢云母化、绿帘石化、绿泥石化、钾长石化、硅化、碳酸盐化等。早期蚀变作用与韧性剪切活动关系密切，在马超营断裂带南部形成规模大、强度高，以 K^+ 强烈带入为特征的面型带状黑云母绿片岩相蚀变岩石组合，在中、北部形成绢云母、绿泥石低绿片岩相蚀变岩石组合。后期蚀变作用叠加于低绿片岩相蚀变之上，其严格受韧脆性断裂控制，呈带状分布，在断裂带内常发育伴有不同程度金属硫化物矿化的强烈硅化蚀变，断裂外围蚀变减弱，可与碳酸盐化、绢云母化、钾长石化、绿泥石化等蚀变相伴产出。

2. 主要矿化岩石组合

区内矿化作用以金属硫化物为主，黄铁矿化、方铅矿化、闪锌矿化、黄铜矿化较常见。在表生条件下，褐铁矿化等次生矿化发育。根据矿化特征，矿化岩石组合大致有以下三种：

(1)黄铁矿化岩石。分黄铁矿化火山岩和硅化黄铁矿化蚀变构造岩两种，前者是成岩时形成，后者与成矿热液活动关系密切。

(2)多金属硫化物型矿化蚀变岩。即有两种或两种以上金属硫化物矿化组合的蚀变岩。

(3)褐铁矿化蚀变岩。由其他矿化岩石在表生条件下发生次生变化而成，可反映 Au 在表生状态的分散富集特征。

(二)不同蚀变、矿化作用与金及其相关元素地球化学特征的某些关系

1. 不同蚀变作用

由于不同蚀变作用在时间上的多期性和空间上的叠加、共生性，对应探讨各蚀变作用与 Au 及相关元素的关系是困难的，我们拟从蚀变作用的时空特征出发，对蚀变、矿化地球化学特征进行研究。

马超营断裂带内，不同蚀变岩石及其组合中 Au 及相关元素的统计特征列于表 5-15，该表反映出以下特征：

表 5-15　不同蚀变岩、蚀变组合中 Au 及相关元素含量特征

期次	早期			早期—晚期					
分布	区域性	面型带状		带状蚀变为主					
种类	绿泥石化为主	黑云母化、钾长石化及绢云母化为主		碳酸盐化（伴一定硅化）		钾长石化及硅化（细脉状穿插）		硅化（伴绢云母化）	
样品数	73	140		35		53		123	
特征值　元素	$\overline{X}_g$　σ	$\overline{X}_g$	σ	$\overline{X}_g$	σ	$\overline{X}_g$	σ	$\overline{X}_g$	σ
Au	2.09　0.369	2.23	0.454	5.22	0.708	3.59	0.520	9.20	0.740
Ag	0.050　0.156	0.053	0.424	0.091	0.617	0.084	0.580	0.156	0.737
Pb	15.74　0.48	14.96	0.566	71.61	0.730	42.17	0.650	117.22	0.850
Zn	69.98　0.208	67.45	0.351	69.50	0.429	82.98	0.351	109.00	0.530
Cu	6.00　0.425	6.08	0.576	8.36	0.753	7.16	0.458	9.73	0.742

注：Au 单位为 $n \times 10^{-9}$，其他为 $n \times 10^{-6}$。

（1）早期蚀变作用所形成的蚀变岩石组合中，Au 元素含量与区域背景接近，与其相关的成矿元素含量略低于背景值，这清楚地表明，呈区域性或面型带状分布的早期蚀变产物未发生矿化富集，但区内矿化物质的活化迁移可能与早期蚀变作用有联系。

（2）沿韧脆性断裂呈带状产出的硅化、绢云母化、碳酸盐化、钾长石化等蚀变均伴有 Au 等成矿元素的富集，其中硅化（绢云母化）蚀变的元素富集程度最高，Au 平均含量为 9.20×10^{-9}，富集系数 4.67，说明硅化（绢云母化）蚀变是金矿化的有利蚀变标志。

（3）各带状蚀变岩中成矿元素对数离差值除 Zn 略低外，其余多大于 0.5，说明此类蚀变岩内成矿元素分布极不均匀，同种蚀变作用可能具多次发育的特征。因此，按蚀变作用计算的各类蚀变岩中 Au 及相关元素的含量变化，只定性地指明其是否利于 Au 等矿质的沉淀富集。

（4）实际上，对成矿有利的蚀变带，是由多种蚀变作用形成的并具分带的特点。硅化（绢云母化）、碳酸盐化、钾长蚀变作为近矿围岩中常见的主要蚀变，说明在含矿断裂内，随着矿化热液中 H_2O、CO_2、K^+、Cl^-、SiO_2 等组分在蚀变作用过程中减少，成矿元素在矿液中的溶解度降低，从而发生矿质沉淀。

2. 不同矿化岩石中 Au 含量变化特征

对矿化岩石组合进行分类计算结果显示，矿化类型对 Au 含量高低具指示作用。区内各种矿化岩石组合中 Au 元素平均含量依次为：无明显矿化岩石（394 个，样品数，下同）2.89×10^{-9}，黄铁矿化岩石（64 个）16.48×10^{-9}，多金属硫化物矿化岩石（54 个）23.99×10^{-9}，褐铁矿化岩石（148 个）3.96×10^{-9}，由此可看出：

（1）黄铁矿化及多金属硫化物矿化与 Au 矿化关系密切。

（2）在表生地质作用条件下，岩石中 Au 含量有贫化降低趋势，有可能在某些地段产生次生富集。

第三节　矿床地球化学特征

一、红庄构造蚀变岩型金矿床

红庄金矿位于马超营断裂带西段中部韧性–韧脆性断裂带与焦园断裂的交会部位。出露地层以长城系鸡蛋坪组、马家河组中酸性火山岩为主，官道口群碳酸盐岩仅在局部发育。各地层单元中均有金矿体赋存。矿化蚀变带受东西向断裂控制，矿体的分布与次级断裂有关。岩石完整性差，并发育脆性变形与韧性变形两大系列构造岩，且常早期韧性变形岩石受到脆性变形的改造。区内蚀变强烈，主要有硅化、绢云母化、铁锰碳酸盐化、钾长石化及绿泥石化等。矿化类型以金和多金属矿化为主，在石窑沟钻孔中尚发育较强的钼矿化。

(一)矿床地球化学特征

1. 近矿围岩中微量元素平均含量

近矿围岩为火山岩变形改造后的产物，包括脆性变形的碎裂岩，构造角砾岩及韧性变形岩石。部分有明显碎裂化、角砾化特征的糜棱岩，胶结疏松，反映构造多期叠加的特点。近矿围岩中发育强弱程度不同的矿化蚀变，其地球化学异常元素组合及空间分布范围，则控制着矿床和矿体原生晕的规模及位置。近矿围岩中成矿金属元素及矿化剂元素含量平均值（$\bar{x}$）和衬值（K）的统计结果见表 5-16。

分析表 5-16 可以看出：

表 5-16　近矿围岩中微量元素含量的平均值及衬值

元素		Au	Ag	Pb	Zn	Cu	Mo	As	Sb	Bi
糜棱岩化安山岩(9)	$\overline{X}$	73	0.79	1 165	1 278	20.6	3.3	1.99	1.17	1.13
	K	37.0	13.2	61.3	18.2	2.6	2.8	2.2	3.8	19.8
安山质糜棱岩(10)	$\overline{X}$	230	0.37	903	675	24.8	1.8	2.37	1.27	2.32
	K	116.8	6.2	47.5	9.6	3.1	1.5	2.6	4.1	40.7
矿化蚀变糜棱岩(10)	$\overline{X}$	295	1.00	1 155	836	37.0	1.6	3.23	1.23	6.73
	K	149.7	16.7	60.8	11.9	4.6	1.3	3.6	4.0	118.1
蚀变碎裂安山岩(6)	$\overline{X}$	188	1.61	533	767	33.8	1.7	4.55	0.91	3.42
	K	95.4	26.8	28.0	10.9	4.2	1.4	5.0	2.9	60.0
构造角砾岩(6)	$\overline{X}$	332	0.8	430	163	17.8	1.2	5.80	1.78	2.69
	K	168.5	13.3	22.6	2.3	2.2	1.0	6.4	5.7	47.2
碎裂、角砾化糜棱岩	$\overline{X}$	210	1.8	680	54	34	1.0	5.98	3.11	6.78
	K	106.6	30.0	35.8	0.77	4.2	0.8	6.6	10.0	118.9

注：Au 单位为 $n \times 10^{-9}$，其他为 $n \times 10^{-6}$；K=元素含量均值/区域背景值。

(1)Au、Pb 在近矿围岩中平均含量较高，衬值达 28.0～168.5，表明 Au、Pb 在近矿围岩中高度富集，并形成强异常，构成矿区内矿化强度最高的两种元素。Ag、Zn 衬值一般为 2.3～13.3，富集程度弱于 Au、Pb，在胶结疏松的碎裂或角砾化糜棱岩类围岩中 Zn 衬值小于 1，可能是 Zn 元素在表生条件下贫化造成的。Cu 衬值>2.2，具一定的富集，但异常强度较弱。Mo 平均含量低，衬值分别为 0.8～2.8，表明其在成矿过程中含量变化甚小，富集不明显。

(2)As、Sb 元素在近矿围岩中衬值分别为 2.2～10，表明其富集显著。

(3)Bi 元素平均含量($1.13～6.78) \times 10^{-6}$，衬值达 20～119，说明含矿断裂内及旁侧 Bi 元素强烈富集，反映 Bi 异常的形成与成矿作用有关。

近矿围岩中常有 Au、Ag、Pb、Zn、Cu 及 As、Sb、Bi 等元素异常出现，它们的含量远高于正常围岩。可以确认，这些元素的富集是成矿热液活动的结果，值得注意的是，根据近矿围岩中 Mo 元素的含量及衬值特征，与金矿化有关的 Mo 异常应具强度弱、清晰度低的特点。而矿区石窑沟一带却形成大规模、高强度的原生 Mo 异常，两者显然是不协调的，因此矿区内以 Au、Pb 为主的金属矿化和石窑沟一带 Mo 异常的形成，可能反映不同性质热液活动的特点。另外，近矿围岩及矿区地层中主要金属成矿元素和矿化剂元素均相对区域背景有所富集，说明成矿物质不是来自围岩，主要是来自深部。

2. 矿石中微量元素含量

据第四勘探线剖面地表及钻孔中矿石(光谱与化学)分析结果，统计了Ⅱ号金矿体部分微量元素的含量特征，见表 5-17。

表 5-17　Ⅱ号矿体微量元素特征值

元素	Au	Ag	Pb	Zn	Cu	Mo	As	Sb	Bi
平均值($\overline{X}$)(n=6)	1 563	0.39	512	242	48.3	1.5	2.12	0.82	4.94
原始衬值	793.4	6.5	26.9	3.5	6.0	1.2	2.3	2.6	86.7

注：Au 单位为 $n \times 10^{-9}$，其他为 $n \times 10^{-6}$。

从表中可以看出：

(1)Au、Pb、Bi 等元素平均含量较高。原始衬值也较大。

(2)Ag、Pb 及 As、Sb 在矿石中的含量，衬值低于近矿围岩，说明 Ag、Pb、As、Sb 在矿体晕外带中发育。

（3）矿石中的 Zn 元素含量、衬值与近矿围岩相当或小于后者，Zn 元素的分布可能趋向于矿体晕的过渡带。

（4）矿石中 Cu 的衬值为 6.0，高于近矿围岩，说明 Cu 在成矿过程中增加明显，且为矿体晕的内带元素。

（5）Mo 的原始衬值仅 1.2，与其在矿区外围及近矿围岩中的衬值基本一致。可以认为，在矿区发生 Au、Pb 矿化的过程中，没有伴随明显的 Mo 元素富集。

3. 韧脆性断裂带中金及有关元素的分布特征和变异趋势

图 5-5 为红庄金矿区 PD131 地质地球化学剖面图，图 5-5 表明：

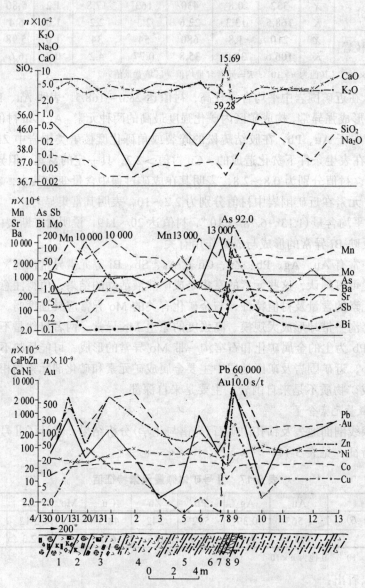

图 5-5 红庄金矿区 PD131 地质地球化学剖面图

1—硅化、钾长、碳酸盐化、黄铁矿化安山岩；2—硅化、钾长、黄铁矿化安山岩；
3—矿化蚀变安山质糜棱岩；4—糜棱岩化安山岩；5—初糜棱岩；6—安山质糜棱岩；
7—黄铁矿化石英脉；8—金矿体；9—角砾化糜棱岩

（1）沿断裂蚀变带，主要成矿金属元素 Au、(Ag)、Pb、Zn、Cu 含量变化一致，均在韧脆性–脆性叠加部位富集，且形成高峰值，在其两侧的韧性变形岩石中含量相对较低。

（2）Co、Ni、Mo 元素含量变化不大。Mo 在矿层上盘出现峰值，与 Au 相关不显著。Co、Ni 含量在脆性叠加处略有下降，与 Au 呈弱负相关。

（3）断裂带内 As、Sb、Bi 含量较高，均与 Au 呈正相关。As、Sb 元素在矿层上盘趋于集中。

（4）Mn 元素与 Au 具一定的正相关，Ba 与 Au 不相关，而 Sr 则与 Au 呈负相关关系。

（5）主要造岩元素中 SiO_2、K_2O 含量变化均受断裂构造控制，两者变化趋势相反，SiO_2 在蚀变较强的脆性构造带中富集，而 K_2O 则在脆性断裂结构面两侧特别是上盘含量较高，CaO 的含量变化与 SiO_2 基本一致。Na_2O 在断裂带中的含量一般小于 0.1%，仅有一件样品大于 0.5%，显示其从原岩中大量带出的特征。

4. 元素共生组合特征

利用 PD131 工程 15 件样品，18 个变量所作的 R 型正交因子分析结果见表 5-18。

表 5-18 红庄金矿区 PD131 正交因子载荷矩降

元素	F_1	F_2	F_3	F_4	F_5	F_6	公因子方差
CaO	−0.278 6	0.393 7	−0.768 2	−0.286 3			0.944 2
SiO_2		0.919 7					0.919 2
K_2O	−0.302 2		0.819 1	−0.277 3			0.897 6
Na_2O				0.830 5			0.766 9
Au	0.981 3						0.980 8
Ag	0.960 0						0.963 8
Pb	0.990 4						0.993 2
Zn	0.767 2	−0.210 4		−0.288 2	−0.255 9		0.810 2
Cu	0.512 7	0.566 2	−0.564 5	0.235 0			0.963 7
Mo						−0.933 6	0.907 5
Co		−0.962 2					0.963 7
Ni		−0.582 8		0.728 6			0.909 8
Mn			−0.694 7	−0.321 8	−0.527 0	0.246 5	0.944 2
Ba					0.933 7		0.926 7
Sr			−0.883 7	0.234 2			0.922 4
As	0.969 5						0.966 6
Sb	0.988 4						0.986 8
Bi		0.607 4	0.475 5			0.314 2	0.723 1
因子贡献	5.930 4	3.140 6	3.117 0	1.740 5	1.351 9	1.210 0	
累计贡献	0.329 5	0.509 3	0.677 1	0.773 8	0.848 9	0.916 1	

表中所列前六个因子占累计方差贡献的 91.6%，各因子组合如下：

F_1［Pb、Sb、Au、As、Ag、Zn、Cu(K$_2$O、CaO)］，因子贡献达 32.95%，反映以金–多金属矿化为主的矿化蚀变因子组合。因子主端由 Au、Pb、Ag、Sb、As 构成紧密关联的簇团，Cu、Zn 与之相对松散（见图 5-6），为中、低温成矿热液形成的特征元素组合。因子次端贡献较小，主要为 K_2O、CaO，表明在金–多金属矿化的同时，K_2O、CaO 有一定带出，在矿化部位外围发生强度较弱的钾化、碳酸盐化蚀变。

F_2［SiO_2、Bi、Cu(CaO)–Co、Ni、(Zn)］，因子贡献为 17.98%，因子主端以 SiO_2 为主，其与 Bi、Cu 关联松散（见图 5-6），显示以硅化（石英脉充填）为主的蚀变作用，与 Bi、Cu 的

共生关系还说明蚀变时温度较高。因子次端以 Co、Ni、(Zn) 为主，反映蚀变过程中围岩基性组分被带出的特征，同时也反映蚀变伴有黄铁矿化作用，各样品因子计量得分也说明了这些。因此，F_2 反映的是金-多金属矿化之前较高温阶段发育的石英-黄铁矿化蚀变矿化作用。

F_3 [K_2O(Bi) ~ Sr、CaO、Mn、Cu]，因子贡献为 16.78%，是以蚀变作用为主的因子组合（见图 5-7），标志矿区发育钾化和铁锰碳酸盐化蚀变，该蚀变与 Bi、Cu 元素富集有关。

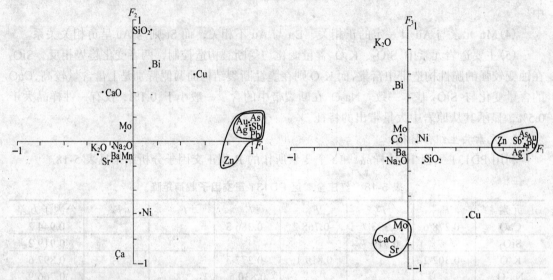

图 5-6　红庄金矿区 F_1～F_2 因子平面图　　　图 5-7　红庄金矿区 F_1～F_3 正交因子平面图

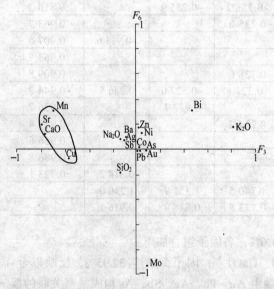

F_6 [(Bi、Mn)-Mo]，因子贡献仅 6.72%，为钼矿化因子，从 F_3～F_6 因子平面图（见图 5-8）上看，Mn、Bi 元素更多受 F_3 因子控制。因此，本因子元素组合单一，反映了独立的钼矿化阶段（可能与硅化有关）。

从对上述四个主因子的分析可看出，矿区蚀变作用以硅化、钾化、碳酸盐化为主，并且具多期叠加的特征。矿化作用以金-多金属矿化为主，叠加发育有 Mo 矿化，两种矿化作用相互间具独立性。前者为典型的中低温热液元素组合，后者元素组合以 Mo 矿化为主，包括 Bi、Cu 及 K_2O，代表中高温热液元素组合，其显然与矿区隐伏的花岗斑岩（脉）有关。矿区金元素的因子模型为

$$Au = 0.981F_1 + 0.124F_2 + 0.036F_4 + 0.025F_5 + 0.022F_3 - 0.012F_6$$

其中反映钼矿化的 F_6 因子负荷最小，有可能说明矿区金矿化作用与隐伏岩体热液活动无明显直接联系。

图 5-8　红庄金矿区 F_3～F_6 正交因子平面图

利用 PD131 剖面地球化学样品作的 R 型聚类分析反映了与因子分析相似的特点，可以补充说明各主要因子组合间的关系。红庄金矿区 PD131 矿断裂蚀变带 R 型聚类分析谱系见图 5-9。

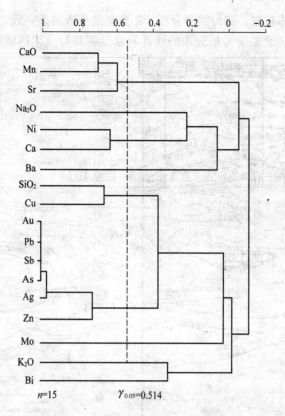

图 5-9 红庄金矿区 PD131 矿断裂蚀变带 R 型聚类分析谱系图

由图 5-9 可知：

(1)所分析元素中关系相对密切的簇团有：Au、Pb、Sb、As、Ag–Zn／SiO$_2$、Cu／Co、Ni／CaO、Mn、Sr，分别与 F_1、F_2、F_3 主因子相应。Au、Pb、Sb、As、Ag、Zn 组合是矿区金矿化的有效指示元素组合。该组合与 SiO$_2$、Cu 簇团的松散关联表明硅化蚀变有利于金矿化。Co、Ni 和 Na$_2$O 松散簇团说明矿化蚀变过程中，围岩中的基性组分和钠质被迁出。

(2)Mo 元素独立存在，与金、铅矿化及其他蚀变簇团不相关，说明矿区较强的 Mo 异常的形成可能为不同矿化热液作用阶段的产物。

(3)K$_2$O 和 Bi 簇团结构松散，与前述几个簇团一起构成与矿化热液作用有关的组合，但关系不密切，反映钾化作用的特点。

(二)矿床原生晕地球化学异常特征

矿床原生异常十分发育，异常组分复杂，主要为 Pb、Au、Ag、Zn、Cu、Mo、As、Sb、Bi 及 Ba、Hg 等。

1. 异常空间分布及形态特征

图 5-10 为红庄金矿区元素原生晕异常平面剖析图。由图中可以看出：

(1)各元素异常在地表总体呈"一圈两带"分布：Cu 异常呈长宽比约 1∶1.7 的不规则四边形，Mo 异常呈短纺锤形共同分布于矿区中部，形成以面状分布为特征的"圈"；其他成矿金属元素及矿上元素异常在其两侧沿近东西断裂带呈线状或条带状分布，构成南、北两带。后者显然与中低温变质热液沿断裂带充填交代–扩散交代有关，而 Mo 异常浓集中心位于经钻孔验证发育有隐伏花岗斑岩体的石窑沟一带，其分布形态受断裂影响不明显，表明 Mo 异常主要受隐伏花岗斑岩体控制；这与因子分析、R 型聚类分析结果一致。Cu 异常与 Mo 异常有相似之处，但其在南、北两带零星分布的线性异常说明其与成矿热液活动也有一定联系。

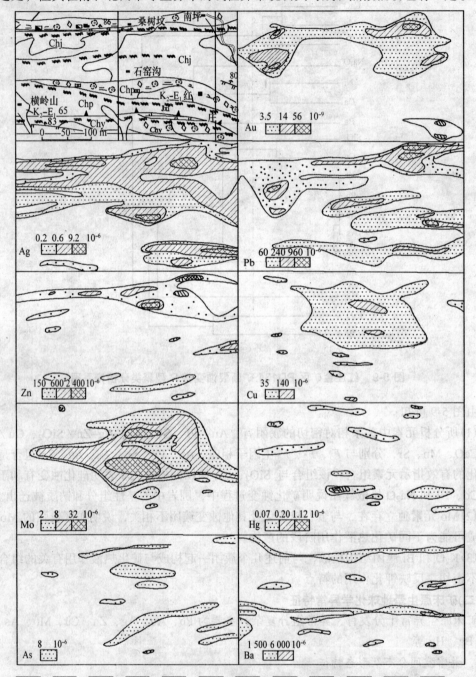

图 5-10　红庄金矿区元素原生晕异常平面剖析图

1—上白垩系—古新统高峪沟紫红色粉砂质黏土岩夹砾岩；2—蓟县系龙家园组白云岩；
3—长城系龙脖组流纹岩斑岩、流纹岩夹英安斑岩；4—长城系马家河组安山岩；
5—长城系鸡蛋坪组流纹斑岩、流纹质英安斑岩夹安山岩；6—性质不明断层；7—实测正断层；8—推覆型断层；
9—韧性剪切带；10—碳酸盐化、绢云母化及硅化；11—褐铁矿化、黄铁矿化；12—实测地质界线及地质不整合界线

(2)矿体晕元素 Au、Pb、Sb、Ag、Zn 等异常套合好，形态以带状为主，面积较大，浓度分级清楚，Ⅱ级异常发育，可见Ⅲ级浓集中心；Hg、As、Ba 等远程指示元素异常呈狭长线状展布，规模小，强度低，多是Ⅰ级异常。矿区地表原生晕的发育特征表明矿床受到一定程度的剥蚀。

为研究矿床原生晕在剖面上的发育特征，利用矿区南部矿化蚀变带第四勘探线剖面样品，整理编绘出元素地球化学异常剖面图（见图 5-11），其中 Au 异常下限取区域三级异常下限值，其他元素仍与区域一致，主要成矿金属元素 Au、Ag、Pb 浓度分级采用 $3^n \cdot T$，其余为 $2^n \cdot T$（$n=0$，1，2）。由图 5-11 可看出：

(1)Au 异常形态规则，展布基本与断裂带一致，浓集中心与矿体分布吻合，矿体两侧异常宽度对称。650 m 标高以下，异常中部Ⅱ级浓度带内包含有Ⅰ级低浓度带。

(2)Au、Pb、Zn 原生晕异常规模基本一致，但内部结构有一定差异。Au、Pb、Zn 异常均包围金矿体产出，浓集部位分布在矿体两侧，表现出与 Au 的横向分带关系，这与前述矿石中 Ag、Pb、Zn 的衬值小于近矿围岩中的结论一致。Ag 异常在地表宽度大于 150 m，向深部收敛、分支，形态呈喇叭状，矿体上盘高浓度带的规模大于矿体下盘。Pb 异常在浅部矿体上盘呈枝叉状，650 m 标高以下，内带变宽，强度增大。Zn 异常内带分为两支，在矿体上、下盘近平行发育。上部金矿体对应 Zn 的低浓度带，向下变为中浓度带，说明自上至下，矿体内 Zn 含量逐渐增加。Ag、Pb、Zn 总体具矿体晕特征，Ag 趋向在上部发育，Zn 异常强度向下有所增强。

(3)Cu 元素围绕Ⅱ、Ⅲ号矿体形成两个互相分离的异常，与Ⅱ号矿体有关的异常在地表仅宽 15 m，向深部渐宽，分布在矿体下盘。深部出现内带较宽的浓集中心，向上浓度呈梯度衰减，表明 Cu 异常在下部矿体及尾部晕发育。

(4)Mo 异常仅分布在地表和中部矿体上盘，规模小，强度低，其特征与成矿热液沉淀分带规模相悖，有可能反映上部矿化带矿尾晕的特点。

(5)Ba、As、Sb 异常均在矿体上盘发育，Ba 异常微弱，受剥蚀作用影响，地表未出现异常；As 异常在地表宽约 50 m，向下至 650 m 标高收敛尖灭，矿体下盘异常宽度较窄，均十几米左右，浓度低，以外带为主，上盘异常宽 20～30 m 且浓度高，内带发育；Sb 异常呈楔形，上宽下窄，地表附近有Ⅱ、Ⅲ级异常浓度带，向深部仅有Ⅰ级浓度带。值得注意的是，Sb 在较深部位（650 m 标高）浓度有一定升高，Pb、Ag 也有这种特点，Ba、As、Sb 表现出前缘元素的特征，推断深部可能发育隐伏矿体。

(6)Bi 异常包围金矿体产出，分带性完好，由上至下，有异常强度增高、规模增大的趋势。

总之，该剖面元素地球化学异常表现了矿体晕的特点，深部前缘晕异常的分布有可能指示隐伏矿体的存在。

2. 异常元素的组分分带

异常元素的组分分带是指成矿和伴生元素在矿体、矿床、矿田或矿带的有关介质中呈有规律的分布，是成矿成晕过程中有关指示元素活动性的反映。由因子分析可知，本矿区的成矿–成晕作用总体保持原始的浓度–温度沉淀分带特征，我们可以通过对其分带规律的研究，评价异常的含矿性，确定矿床剥蚀评价指标。

矿区第四勘探线剖面上元素异常特征及对不同标高元素含量的分析计算，均反映出与金矿成矿作用有关的微量元素具轴向分带的特征。

1)轴向异常组分划分

据异常的规模、浓度及分布特征（见图 5-11），可把异常组分分为：前缘晕元素 Sb、As、

Ba，矿体晕元素 Ag、Pb、Au、Zn、Bi 及浓集于矿尾的元素 Bi、Cu 等三部分。由此得出的元素轴向分带序列为 Sb、As、(Ba)–Ag、Pb、Au、Zn～Bi、Cu。

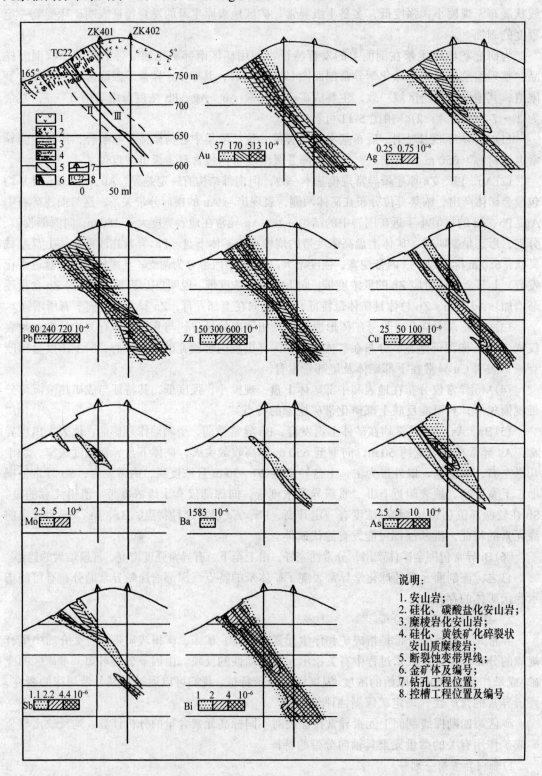

图 5-11 栾川县红庄金矿区第四勘探线元素地球化学剖面异常图

说明：

1. 安山岩；
2. 硅化、碳酸盐化安山岩；
3. 糜棱岩化安山岩；
4. 硅化、黄铁矿化碎裂状安山质糜棱岩；
5. 断裂蚀变带界线；
6. 金矿体及编号；
7. 钻孔工程位置；
8. 控槽工程位置及编号

2) 分带序列的计算

为确定各组分在轴向分带序列中的具体位置，人们通常采用 C·B·格里戈良(1975)提出的分带指数计算法。本次计算拟采用邱德同(1989)提出的"概率值计算法"，即以各中段指示元素含量等参数的概率值及梯度变化值为依据，确定原生晕指示元素的分带序列方法。其基本思路是：矿床原生晕之所以在垂直方向上显示组分分带特征，是由于原生晕中每个元素在垂直方向上具明显的浓度分带特征。如果说某元素在不同标高中段的平均含量或面、线金属量等参数具有明显差异。那么该元素的上述参数值在不同中段的比例或概率值也应有明显差异。这样，可将各微量元素在不同中段的参数值计算成概率值，据其确定异常组分的分带序列。该法的特点是，计算结果与格里戈良法一致，但无需对参与计算的原始数据进行标准化处理；对最大概率值处同一个中段的多个元素，可依其最大概率梯度变化值的差别确定其确切位置，弥补中段的不足。

矿区第四勘探线剖面各指示元素在不同标高的线金属量和金属量概率值见表 5-19、表 5-20。利用上述方法，得出各元素自上而下的序列为 Sb–Ag–As–Au–Pb–Ba–Zn–Bi–Cu。

表 5-19　矿床原生晕指示元素线金属量值(10^{-6})

标高(m)	Au	Ag	Pb	Zn	Cu	Ba	As	Sb	Bi
780~880	13.91	60.48	44 240	22 050	660	—	127.6	91.2	191.4
680~740	6.82	20.66	18 961	22 244	1 772	9 413	125.2	18.1	199.3
600~670	5.60	9.84	33 828	30 300	3 112	6 310	24.1	17.3	276.1

表 5-20　矿床原生晕指示元素线金属量的概率值(%)

标高(m)	Au	Ag	Pb	Zn	Cu	Ba	As	Sb	Bi
780~880	52.8	66.5	45.6	29.6	11.9	—	46.1	72.0	28.7
680~740	25.9	22.7	19.5	29.8	32.0	59.9	45.2	14.3	29.9
600~670	21.3	10.8	34.9	40.6	56.1	40.1	8.7	13.7	41.4

计算结果与剖面上异常发育特征反映的分带序列(除 Ba 外)基本一致。从 Au 与 Ba、As、Sb 异常在浅部发育，可能反映矿体部分遭受浅剥蚀的特点，综合计算结果结合异常发育特征及地质条件，本矿区异常组分的轴向分带序列确定为(Ba)、Sb、As–Ag、Au、Pb、Zn–Bi、Cu。这与地调一队瞿伦全(1989)在邻区上宫金矿区确定的 Hg–Ba–Au、Ag、Pb(Zn、Cu、Mo、Co、Ni)异常组分轴向分带序列十分接近。

3. 元素对、垒乘晕比值特征

1) Au×1 000／Ag、Pb／Zn 元素比值及其意义

矿区不同地段 Au×1 000／Ag、Pb／Zn 比值的计算结果列于表 5-21。

表 5-21　红庄金矿区不同地段 Au×1 000／Ag、Pb／Zn 比值

元素对	远矿地段	近矿围岩	金矿石
Au×1 000／Ag	26.8	92.4~621(276)	(4 007.6)
Pb／Zn	0.42	0.91~2.63(1.39)	(2.11)

注：( )内为元素对比值的平均值。

从表中可以看出，距金矿体愈近，Au、Pb 分别相对 Ag、Zn 更加富集，但 Pb 相对 Zn 的富集增幅远小于 Au 相对 Ag 的增幅。一般情况之下，$Au \times 1\,000 / Ag$ 在远矿地段 $< 10^2$，近矿围岩中 $> 10^2$，矿体（地表或浅部）$> 10^3$；Pb / Zn 在远矿地段 < 1，近矿围岩中 > 1，矿体 > 2。元素对比值也可以作为认识异常空间位置及性质的指标：若 $Au \times 1\,000 / Ag < 10^2$ 且 $Pb / Zn < 1$，说明异常要么远离金矿化部位，要么为非矿致异常；若 $Au \times 1\,000 / Ag > 10^2$ 且 $Pb / Zn > 1$，则说明异常接近矿化部位，可能是矿致异常。

2）元素对、垒乘晕比值的垂向变化

按不同标高计算元素对及元素垒乘晕比值，有助于研究各种元素的垂向变化特点，进而为确定矿床剥蚀评价指标提供依据。根据矿区元素轴向分带序列，计算了部分前缘元素与尾部或下部矿体元素间的元素对、垒乘晕比值（见表 5-22）。

表 5-22 栾川县红庄矿区第四勘探线剖面不同标高元素对、垒乘晕比值

标高（m）	样品数	$Ag \times 1\,000 / Zn$	$Ag \times 100 / Cu$	$\dfrac{As\,Sb \times 100}{Cu}$	$\dfrac{Ag \cdot Pb \times 100}{Zn \cdot Cu}$	$\dfrac{As \cdot Sb \cdot Ba}{Cu \cdot Bi}$
780～800	37	2.28	3.05	22.04	6.57	33.63
680～740	15	0.93	0.78	4.71	0.66	8.9
600～670	13	0.64	0.43	1.57	0.48	1.88

表 5-22 的计算结果表明：

（1）随标高降低，$Ag \times 1\,000 / Zn$、$Ag \times 100 / Cu$ 和 $(As \cdot Sb \times 100) / Cu$ 及 $(Ag \cdot Pb \times 100) / Zn \cdot Cu$ 的比值相应减小，反映出随浓度增加，银、砷、锑含量减少，铜、锌含量变大的规律。

（2）740 m 标高向下，$Ag \times 1\,000 / Zn$、$Ag \times 100 / Cu$ 比值变化梯度相对 740 m 标高以上明显偏低，说明 740 m 标高以上是银富集的有利部位。

（3）$(As \cdot Sb \times 100) / Cu$ 与 $(As \cdot Sb \cdot Ba) / (Cu \cdot Bi)$ 垒乘晕比值自上而下逐渐递减，清晰地反映了原生晕的垂向分带性，同时体现了金矿体的埋深与指示元素比值变化之间的密切相关性。

（4）$(Ag \cdot Pb \times 100) / (Zn \cdot Cu)$ 垒乘晕比值在上部递减迅速，向深部减小缓慢，这可能是深部隐伏矿段原生晕叠加影响所致。

4. 不同部位矿体晕指示元素间的相关系数变化

据文献报道，相关系数（ρ）可被用以判断矿体剥蚀程度（Аиастасиев·Н·С，1979）。相关指数为前缘元素组相关系数（r_1）之和与尾部或矿下元素组相关系数（r_2）之和的差，即 $\rho = \sum r_1 - \sum r_2$。研究指出，矿上部位相关指数为正值，矿下部位为负值。

根据矿床原生晕垂向分带序列，我们以 As、Sb、Ba 为前缘元素组，Cu、Bi、(Ni) 为矿体下部及尾部晕元素组，利用第四勘探线剖面，分别计算了这两组元素在矿体晕不同部位的相关系数，而后求出各部位的相关指数（见表 5-23）。

表 5-23 栾川县红庄矿区不同部位矿体晕指示元素间的相关系数变化

工程号	部　位	相　关　系　数								相关指数
		前缘晕元素组				矿体下部及尾部晕元素组				ρ
		As–Ba	Sb–Ba	As–Ab	$\sum r_1$	Cu–Ni	Bi–Ni	Cu–Bi	$\sum r_2$	
TC22	中上部矿体晕	0.226	0.213	0.723	1.162	0.077	−0.193	0.528	0.412	0.75
ZK401	中部矿体晕	0.571	0.831	0.813	2.215	0.300	0.279	0.748	1.327	0.89
ZK402	下部矿体晕	0.116	0.013	0.549	0.678	0.688	0.865	0.625	2.178	−1.50

需指出的是，因矿床受到剥蚀，地表(TC22)矿上晕元素含量较成晕时有所降低且破坏了各元素间的原始浓度比例关系，致使相互间的相关系数难以真正反映成晕时它们之间相关性，出现了上部矿体晕中 As-Ba、Sb-Ba 间相关系数远低于中部晕的假象。按最低限度，上部矿体晕中前缘元素间的相关系数之和不应小于中部矿体晕，据此，其相关指数(ρ)则应大于或等于 1.8。矿体晕各部位的 ρ 值变化范围可总结为：中上部>1，中部为 1~0，下部<0。

5. 矿床剥蚀程度的评价标志和指标

根据矿床原生地球化学异常垂直分带特征和元素对、垒乘晕比值的垂向变化、元素相关指数在原生晕不同部位变化规律，初步提出评价矿床剥蚀程度的标志和指标。

1)元素组合标志

当异常元素组合为 Ag、Au、Pb，并伴有 As、Sb 及 Ba 异常时，通常标志矿床剥蚀较浅。

当异常的元素组合以 Pb、Zn、Ag、Au、Bi、Cu 为主，Pb、Zn、Ag 异常规模相当，Cu 异常弱时，标明矿床受到中等剥蚀。

当异常组合以 Cu、Bi、Zn 、Pb、Au、Ag 为主，出现高强度 Cu、Bi、Zn 异常时，标志矿床受到较深程度剥蚀，所指示的矿体为下部矿体或矿尾。如上述组合同时伴有 Sb、As、Ag、Pb 等异常，可能指示深部有隐伏矿体存在。

2)元素对、垒乘晕比值及元素相关指数(ρ)指标

前缘元素与尾部元素之间的比值或垒乘晕比值及不同标高的相关指数等随深度而发生规律性变化，也是评价矿床剥蚀程度的指标(见表 5-24)。据上述指标分析可以认为，红庄金矿区遭受中浅程度的剥蚀，其深部仍有矿体存在的可能，有进一步工作价值。

表 5-24 栾川县红庄矿床剥蚀程度的评价指标

矿床剥蚀程度	矿体保存情况	评价指标			
		$Ag \times 100 / Cu$	$\dfrac{As \cdot Sb \times 100}{Cu}$	$\dfrac{As \cdot Sb \cdot Ba}{Cu \cdot Bi}$	ρ
浅-中剥蚀	含矿体大部保存或上部被剥蚀	>1	>10	>15	>1
中等剥蚀	中部矿体出露地表，向下有一定规模延伸	0.5~1	4~10	5~15	0~1
深剥蚀	金矿体大部被剥蚀，有较发育的铜矿化	<0.5	<4	<5	<0

二、前河构造蚀变岩型金矿床

前河金矿区位于栾川县潭头盆地南东边缘的北东向断裂与马超营断裂带中部韧性-韧脆性断裂的交会部位。出露地层为熊耳群马家河组、鸡蛋坪组。矿化带与矿体的分布严格受东西向构造破碎带控制，近围岩为初糜棱岩或碎裂化岩石。含矿断裂带蚀变强烈、种类多，主要为硅化、绢云母化、黄铁绢英岩化、碳酸盐化、绿泥石化、黑云母化，钾长石化在矿带内普遍发育，其中硅化、绢云母化、黄铁绢英岩化及钾长石化与金矿化关系密切。本次研究主要对矿区四号矿带甚沟矿段(东段)的地球化学特征加以初步探讨。

(一)围岩和矿化带内微量元素含量及分布特征

矿区四号矿化带及两侧围岩中金及有关元素含量见表 5-25，从表中可以看出：

(1)矿化带及两侧围岩中，主要成矿元素 Au、Ag、Pb、Cu 等均较区域背景有不同程度富集。

表 5-25　前河四号矿带及围岩微量元素特征(10^{-6})

元素名称	Au	Ag	Pb	Zn	Cu	Co	Cr	Ni	Mo	Sn	样品数
底板围岩(d)	4.03	0.10	27.59	72.96	54.15	38.52	58.89	50.74	2.77	1.91	27
顶板围岩(λ)	3.86	0.15	75.85	47.81	27.84	3.98	67.94	3.71	1.27	2.96	32
金矿化体	105.57	9.01	388	198	84.13	22.75	45.80	15.13	1.40	2.48	15
克拉克值	4	0.07	16	83	47	18	83	58	1.1	2.5	

注：Au 含量值 $n \times 10^{-9}$，Au 克拉克值为黎彤值(1976)，其余为维氏值(1962)，d 为变玄武安山岩，λ 为变流纹岩(地调二队)。

(2)矿化带内金平均含量为 105.57×10^{-9}，是克拉克值的 26 倍多，Ag、Pb、Zn、Cu 元素含量也分别为克拉克值的 2～100 倍，说明上述成矿元素在断裂带内强烈富集，可作为金矿化的指示元素。

(3)Zn、Cu、Co、Ni 和 Mo 元素等在断裂带底板中趋向富集，它们在底板围岩中的含量相当于顶板中的 2～14 倍；顶板围岩中的 Ag、Pb 元素含量则高于底板中的含量。

上述特征表明，前河矿区以 Au 为主的成矿元素的富集、分布受蚀变断裂构造破碎带的控制。

(二)元素共生组合特征

前河矿区四号矿带葚沟矿段之上的构造化探剖面 20 件样品 15 个变量所作的 R 型正交因子分析见表 5-26。

表 5-26　前河金矿区四号矿带葚沟矿段正交因子载荷矩降

元素	F_1	F_2	F_3	F_4	F_5	F_6	公因子方差
Au			−0.890 8			−0.289 1	0.946 5
Ag	0.452 7		−0.879 4				0.981 7
Pb	0.346 6		−0.920 2				0.976 1
Zn		−0.515 5	−0.408 0			−0.549 3	0.744 2
Cu	0.953 5						0.958 2
Mo	0.922 7						0.881 9
S	0.710 0					−0.580 9	0.950 5
As		0.258 9				−0.935 4	0.969 8
Sb			−0.840 6				0.739 2
Bi	0.970 9						0.973 0
Sr				0.978 6			0.959 9
Ba					0.938 3		0.907 9
Mn		−0.870 6			0.209 3		0.846 1
Co		−0.795 8	−0.233 4		−0.284 2	−0.317 9	0.877 9
Ni		−0.684 1			−0.318 3	−0.240 4	0.661 8
因子贡献	3.580 8	2.276 2	3.442 6	1.095 2	1.191 9	1.788 4	
累计贡献	0.238 7	0.390 5	0.620 0	0.693 0	0.772 4	0.891 7	

从表中可以看出，前六个因子占累计方差贡献的 89.17%，各主因子特征及组合如下：

F_1［Bi、Cu、Mo、S(Ag、Pb)］因子贡献达 23.9%，为第一因子，该因子以 Bi、Cu、Mo 组合为主，反映与合峪岩体有关的成矿元素组合特征，结合构造带中上述组分矿化强度较低，可以认为该因子反映了中、高温热液蚀变矿化作用的特点。

F_2 [Mn、Cu、Ni、Zn(As)]，因子贡献为 15.2%，是一重要的蚀变因子组合，反映含矿蚀变断裂带广泛发育的铁锰碳酸盐化蚀变作用及黄铁矿化作用。

F_3 [Pb、Au、Ag、Sb(Zn、Co)]，第二主因子，为以金、铅为主的矿化元素组合。其主要成矿及其共生元素为 Pb – Au – Ag、Sb，是一组中低温热液形成的元素组合。因子贡献 23.0%，略低于 F_1 因子，说明金、铅两元素在成矿作用中有着举足轻重的地位。矿区 $F_1 \sim F_3$ 因子平面图（见图 5-12）清楚显示出，以中高温元素为主的 F_1 因子与以中低温元素为主的 F_3 因子间差异明显，相互分离，表明它们代表了不同成矿阶段的产物。

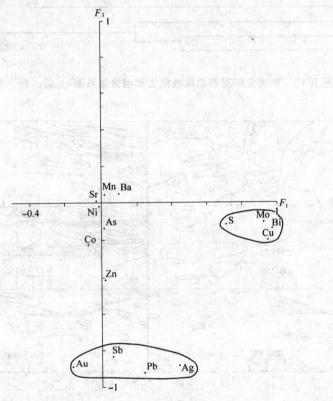

图 5-12　前河金矿区四号矿带东段 $F_1 \sim F_3$ 因子平面图

F_6 [As、S、Zn(Co、Au、Ni)]，因子贡献较大，为 19.9%，反映以黄铁矿化为主伴有较弱金矿化的矿化蚀变作用。其主要组分 Zn、Co、Au 与 F_3，As、Co、Ni、Zn 与 F_2，S 与 F_1 又分别具一定联系，说明区内的黄铁矿化具多期次、多阶段的特征。

由矿区第四勘探线剖面上 58 件岩石化学样品所做的 R 型聚类分析也分别补充说明元素组合特征。图 5-13 表明，矿区微量元素可分为 Au – Ag – Pb – Zn / Mo – Cu – Sn / Co – Cr – Ni 三组关系相对密切的簇团。第一簇团与 F_3 一致，是区内金矿化的指示元素组合，第二簇团与 F_1 上应，反映与合峪花岗岩浆活动有关，第三簇团则说明围岩中基性组分在矿化蚀变过程中具有活动性。这说明 R 型聚类分析结果与因子分析结果是一致的。

(三)原生晕异常特征

矿床元素地球化学异常受断裂带控制。从图 5-14 看出，Au 及主要指示元素异常形态以带状和长条状为主，沿断裂带展布，异常浓集中心相对一致。Au、Pb、Ag 异常较发育，套合良好，其中 Ag 异常规模最大；Cu、Zn 异常规模小、强度低，相对较弱。

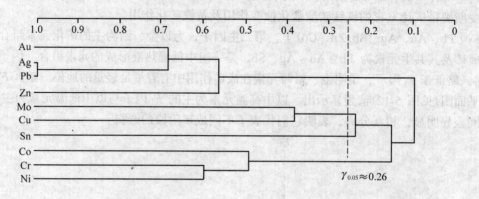

图 5-13　前河金矿第四勘探线原生晕组分谱系图 (地调二队，宋国堂)

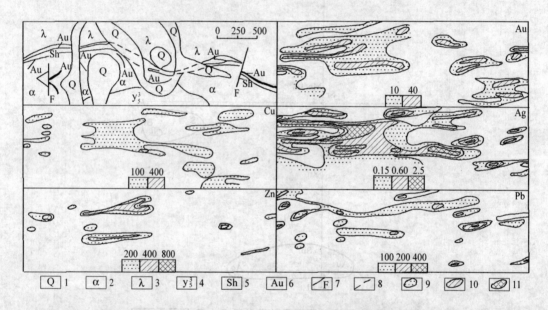

| Q | 1 | α | 2 | λ | 3 | y_5^3 | 4 | Sh | 5 | Au | 6 | F | 7 | | 8 | | 9 | | 10 | | 11 |

图 5-14　前河金矿区四号矿带中、东段岩石测量地球化学异常图 (地调二队，朱四堂)

1—第四系；2—变玄安山岩；3—变流纹岩；4—花岗岩；5—金矿化带；6—金矿脉；

7—断层；8—地质界线；9—一级异常；10—二级异常；11—三级异常

上述几种成矿元素的异常特征说明，矿区异常的形成与断裂带关系密切，Pb、Ag、Au 元素是金矿化的最佳指示元素。事实上，钻探工程业已证明，在 Au、Pb、Ag 三元素套合较好的地段，其深部均赋存有工业矿体。此外，上部矿体晕元素 Pb、Ag 异常发育，而下部矿体晕元素 Cu、Zn 较弱，标志着前河金矿区的剥蚀程度相对西段红庄金矿区较浅，属浅剥蚀。

通过对前河构造蚀变岩型金矿四号矿带东段的地球化学特征研究，可得出几点认识：

(1) 成矿作用及微量元素空间上的分布受蚀变断裂控制。

(2) 金矿化指示元素组合以 Pb、Au、Ag、Sb、Zn 为主，属中－低温热液矿床的特征元素组合，说明前河金矿是在中－低温矿热液作用下形成的。因矿区毗邻合峪岩体，Bi、Cu、Mo 等高中温热液特征元素组合可能与酸性岩浆活动有关。

(3) 矿区的矿化蚀变作用具多阶段叠加的特点。

第四节 地球化学找矿标志及地质-地球化学找矿模式

一、地球化学找矿标志

根据马超营断裂带区域及矿床地球化学特征的研究，提出下述金矿地球化学找矿标志。

(一)区内矿致异常的标志

(1)异常形态受断裂控制，分布于韧性-韧脆性变形带或脆性变形带之上的异常。

(2)异常强度较高、规模大，Au 单元素规格化面金属量大于 4。

(3)异常组分复杂，指示元素 Au、Ag、Pb、Zn 及 As、Sb 的异常套合较好。

(4)异常浓度分带完整、清晰，具有较发育的浓集中心。

(二)区域成矿能标志

区域成矿能值可以综合地反映某一地区的成矿作用强度和成矿前景。成矿能值 $ER<100$ 时，为成矿背景区段；$ER>100$ 时，为矿化区段，常有已知矿床产出；$ER>1\,000$ 时，往往与矿体出露部位相对应。

(三)成矿元素组合特征标志

在近矿围岩、蚀变断裂带中，成矿元素 Au、Pb、Ag、Zn、Sb、As 等密切相关，在 R 型聚类分析中形成紧密关联的簇团，若矿体中存在上述异常则标志矿体剥蚀较浅，下部仍有矿体存在。在矿尾晕组合中如有 As、Sb、Ag 异常发育，则可能指示深部存在新的盲矿体。

(四)特征元素对及垒乘晕比值和相关指数标志

当 $Au\times1\,000/Ag>10^2$、$Pb/Zn>1$ 时，标志异常接近矿化部位，且可能为矿致异常。$Au\times100/Cu>1$、$(As\cdot Sb\times100)/Cu>10$、$(As\cdot Sb\cdot Ba)/(Cu\cdot Bi)>15$ 及元素相关指数>1 时，标志矿床的剥蚀程度低，矿体保存较完整或深部具隐伏矿体。

二、地质-地球化学找矿模式

根据马超营断裂带内控矿地质条件，成矿地球化学条件的研究，结合上述有关地球化学找矿标志，提取出与金矿找矿有关的主要地质-地球化学信息，以列表方式建立本区的地质-地球化学找矿模式(见表 5-27)。

表 5-27 地质-地球化学找矿模式

成矿有利地质条件	工作布置	岩石地球化学测量：采用地质、构造-化探剖面法
构造： 1.韧性-韧脆性剪切带； 2.推覆构造前缘带； 3.断裂构造交会部位		提取前缘元素： Ba、Sb、As
围岩：无选择性		寻找近矿元素 Pb、Au、Zn
围岩蚀变：硅化、绢云母化、钾化及黄铁英岩化蚀变		矿体剥蚀深度研究根据： 1.指示元素生晕发育特征；
贮矿部位： 1.次级韧脆性-脆性剪切带； 2.构造相对引张部位； 3.断裂分支复合部位	矿体研究	2.特征元素对、垒乘晕比值； 3.指示元素相对指数等对矿体剥蚀、埋藏情况加以判断(具体内容见本章第三节)

第六章 成矿条件研究

第一节 地层与成矿的关系

本区与金矿有关的地层有太古界太华岩群和中元古界熊耳群，与铅（银）有关的地层主要为中元古界官道口群，次为熊耳群。

一、太华岩群绿岩建造与金矿成矿的关系

太华岩群属太古代绿岩带。太古代绿岩带为地壳最古老的岩石建造之一，是全球性的金的一个重要成矿单元。太古代绿岩带既可是金的重要来源层，又可是金矿床赋存的层位。据世界上主要产金国家和地区统计，太古代绿岩带中年产金量占世界的六分之一。我国吉林、北京、辽宁、内蒙、冀北、山东及河南省中西部等地区的绿岩带中都有重要的金矿。熊耳山地区的金矿床（点）绝大多数也产在太古界太华岩群绿岩系及其盖层中。

马超营断裂带及其南侧分布有大面积太古界太华岩群，主要岩性为黑云斜长片麻岩、混合片麻岩、斜长片麻岩夹斜长角闪片麻岩、斜长岩夹混合片麻岩。区内太华岩群由西北向东南混合岩化程度逐渐增高，出现条纹、条带状混岩及均质混岩。岩石具有氧化镁含量较低、Al_2O_3 含量较稳定、SiO_2 含量较低的特点，属中基性岩石系列，局部出现超基性岩，在混合岩化作用以及后期各种地质作用过程中 K_2O 及 CaO 变化较大，其中 K_2O 为带入组分，CaO 为带出组分。据栾川北部 1：5 万区调岩石微量元素及水系沉积物测量结果，太华岩群金平均含量 1.7×10^{-9}。本次在太华岩群中采样 34 件，金平均含量 2.99×10^{-9}，虽高出区域背景值 1.97×10^{-9} 的 0.5 倍，但仍低于黎彤、饶纪龙 1976 年提出的金在地壳中平均丰度值 3.5×10^{-9}。这是因为多次地质作用使太华岩群含金丰度值失去了原始面貌，岩石中现今所测金的丰度值仅能代表地层中残留金的丰度，并不代表金的原始数丰度。而金丰度的高低也不决定金的矿化强度，关键是金的活化、迁移与富集条件。据有关资料，小秦岭金矿田中的太华岩群原始丰度即使只有 2.02×10^{-9}，在 1 km 的深度范围内也能获得数百吨的黄金储量。熊耳山南麓太华岩群中–基性火山岩的金，经多次构造–岩浆活动作用，不断地活动、聚集，特别是在构造–热动力驱动下，在太华岩群中的成矿有利构造部位或在其上覆地层与太华岩群贯通性的构造有利部位金局部富集形成金矿床。

马超营断裂带各类型金矿床，主要产在以太华岩群为基底的中元古界熊耳群盖层中，部分产于太古界太华岩群中。本区金矿产出的这种地域性，反映了太华岩群是金的主要源岩。

二、熊耳群火山岩与金矿成矿的关系

熊耳群火山岩在工作区分布最广，其主要岩石类型为中基–酸性火山岩，岩石化学表现为富铁、富钾、低钙，氧化钾大于氧化钠等特点。微量元素 Pb、Zn、Ba、V、Se、Y、Yb、Zr 高，而 Cu、Ga、Be 低，这套偏碱性火山岩是地幔岩浆喷发的产物。在地壳拉张应力作用下，地幔岩浆沿裂谷带上溢并携带部分深源金。

岩石中含金丰度值的高低一般可以指示成矿物质来源的原岩，但对太古界许多古老岩层来说，由于岩石本身在漫长的地质时代中经历了多种复杂的地质作用，其含金丰度往往失去了原始面貌，出现这些地层中含金丰度与成矿往往不一致的现象。而熊耳群火山岩虽系中元古代火山岩，但区域变质作用微弱，构造动力变质作用(韧性剪切带)亦仅表现为浅变质的绿片岩相，绝大多数地方仍保持着火山岩的原始结构构造及外观。因此，所测得金元素丰度值是可以反映原始含金丰度的。据省地科所 1984 年在熊耳山测制地化剖面分析结果表明，下熊耳群火山岩金高出克拉克值的 4.4 倍(黎彤，1976)，中、上熊耳群火山岩高出一倍多，本次据 228 个样品对数平均鸡蛋坪组含金 5.24×10^{-9}，是克拉克值的 1.5 倍。由此看，熊耳群火山岩具有金的原始富集特征。

区内绝大多数金矿床(点)赋存在熊耳群火山岩中，金成矿与火山岩的关系如何？从韧脆性–脆性剪切带内金的运移、富集情况看，较深层次剪切带内成矿流体温度高，深部携带的金和从围岩中萃取的金向上运移，在剖面上出现构造带及附近蚀变围岩金丰度低于正常围岩金丰度。在矿区则相反，如店房金矿火山角砾岩 14 个样品统计的金丰度平均达 14.2×10^{-9}；北岭金矿近矿粗安岩 5 个样品统计金丰度平均 15.74×10^{-9}；上宫、康山矿体的蚀变围岩含金量可达 $30 \times 10^{-9} \sim 700 \times 10^{-9}$。由此证实了在热液作用过程中，从熊耳群火山岩中萃取部分金、银等物质，并迁移到构造有利局部地段富集成矿。所以，区内金矿的物质来源除太华岩群变质岩外，部分来自熊耳群火山岩。

三、官道口群碳酸盐岩建造与铅、银矿成矿的关系

白土铅(银)矿带，东西长数万米，铅(银)矿床的形成与分布明显受官道口群碳酸盐岩建造的控制。据统计表明，区内龙家园组 Pb、Zn、Ag 丰度值分别为 83.7×10^{-6}、30.5×10^{-6}、0.289×10^{-6}，是成矿有利地层。从沉积环境分析，官道口群沉积时为一泻湖海湾沉积环境，在此环境下沉积的一套白云质灰岩和硅质条带白云岩，反映当时气候炎热，蒸发作用强烈，含盐度高。从地层普遍含叠层石可以断定，当时的沉积环境处于水深 10 m 左右的潮间带或潮下带，这种环境对含有丰富的 Pb、Zn、Ag 等陆源物质进入盆地而形成同生矿源层或矿源岩极为有利。

成岩后，由于受马超营断裂构造动力变质作用及相应的热液活动的影响，引起地下水的对流、运移并不断地把围岩中的矿质萃取出来形成含矿热液，在构造有利部位(断裂带、层部破碎带)沉淀交代，局部形成矿体。

第二节　断裂构造与成矿的关系

华北陆块与周围众多地质体多以长期活动的剪切断裂为界。特别是陆块的北、东、南缘发育大量的韧性剪切带同时分布着不同类型的金矿床，这些韧性带在空间上控制着金矿的产出。如冀北东金厂峪的石英脉型金矿，主要受韧性剪切带控制；山东招掖地区西部的三山岛断裂和焦家断裂带都具有韧性剪切性质，它们控制着三山岛、新城、焦家等大型蚀变岩型金矿；东部招平脆性断裂带控制着玲珑石英脉型金矿床的形成。位于华北陆块南缘的小秦岭地区的构造蚀变岩型金矿床和石英脉型金矿床分别受不同特征的韧性带的控制。

马超营断裂带位于华北陆块南缘，是陆块边缘活动带的主要断裂之一，属长期演化的边

缘活动剪切带。海西—印支期曾发生规模巨大的伸展滑脱剪切构造活动；燕山期曾发生规模巨大的逆冲推覆构造活动。这两期构造活动对区内金矿的成生起着重要作用。

一、马超营断裂带伸展滑脱剪切构造对金矿的控制作用

早古代加里东运动，马超营断裂南侧强烈挤压褶皱造山。在此之后由于地幔上隆，地壳伸展变形，沿台缘隆褶带的北侧，产生了一系列由南向北的伸展滑脱剪切构造。滑脱剪切构造带走向北西西—南东东，倾向北，区内金矿床（点），铅、银矿床（点）主要产于马超营断裂带上部韧-脆性剪切带中，沿马超营断裂带构成一个显著的近东西向金及多金属矿化带（见图6-1）。

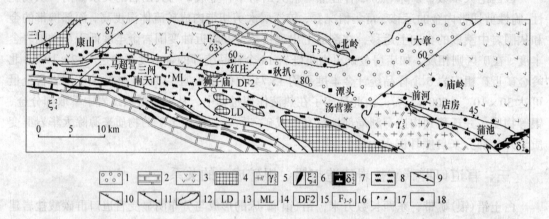

图 6-1 马超营断裂带金、银、铅矿床（点）分布图

1—上白垩统—下第三系山间断陷盆地；2—中元古界洛南群白云质大理岩；3—中元古界熊耳群火山岩系；4—太古界太华群基底；5—燕山期花岗岩；6—华力西期正长岩；7—中元古代闪长岩；8—韧性剪切带；9—逆断层；10—正断层；11—逆冲推覆叠加断层；12、13—基底隆起区；14—糜棱岩带；15—马超营滑脱剪切带；16—铲形正断层；17—拉伸线理方向；18—金、银、铅矿床（点）

(一)韧性剪切带与金矿成矿的关系

韧性剪切带发育于马超营断裂带南侧呈北西—北西西向展布，长度70 km左右，宽数百米到4 km，由糜棱岩带、糜棱岩化带、片理化带强变形变质带和弱变形变质带相间组成。经研究表明，韧性剪切带后期构造叠加较弱。从蚀变相看，本区的韧性变形相当于绿片岩相（黑云母带）。韧性剪切带的蚀变主要为黑云母化（具定向性）、钾长石化、绿泥石化、绢云母化及少量铁碳酸盐化、绿帘石化、阳起石化、硅化等，蚀变与构造同步进行，形成一个面型带状蚀变带。韧性剪切带平均含金 2.08×10^{-9}，带中除见有少量铅、铜矿化外，极少有金矿化。这种现象一是因为韧性变形时温压较高，尽管存在有含矿流体与围岩相互作用，但并不具备金的沉淀条件，此时金处在活化、运移状态，即向上部韧-脆性剪切带迁移；二是该带后期构造叠加微弱。

马超营韧性剪切带中金丰度值虽低，但它仍高于区域背景值（1.97×10^{-9}），并构成了构造蚀变岩型金矿床的成矿构造背景，同时控制着区内金矿带的展布。

在单个韧性剪切带中，变形强度由中心向两侧逐渐减弱，而与韧性剪切活动相关的金矿化，也由强到弱（见表6-1），强变形的糜棱岩与未变形的围岩相比，金含量高35～40倍。这表明在韧性剪切作用下金由围岩向剪切带运移集中。

表 6-1　栾川县大青沟太华岩群中韧性剪切带微量元素含量

岩性	样号	元素含量($n \times 10^{-6}$)												
		Pb	Zn	Cu	Mo	Co	Ni	Mn	Ba	Sr	As	Sb	Bi	Au	Ag
斜长角闪岩	G1	120	200	250	5	50	120	800	500	250	0.57	0.25	0.13	3.1	
均质混合岩	G2	130	30	10	2	5	20	800	100	100	0.60	0.31	0.16	2.6	0.1
初糜棱岩	G3	70	40	3	1	5	20	500	350	50	0.50	0.30	0.12	4.6	
糜棱岩	G4	150	70	3	3	15	60	1 300	300	40	0.50	0.18	0.21	105.0	
石英脉	G5	180	50	25	2	10	30	1 200	300	60	0.70	0.42	2.62	122.5	1.0

注：Au 含量单位为 $n \times 10^{-9}$。

区内在韧性带中常见到产状与糜棱面理一致的石英脉，呈单条或成群成带产出。这种石英脉直接受糜棱岩带控制，在强变形的中心带，石英脉以韧性变形为主，石英的粒内变形明显，可见波状消光、亚晶等。石英脉一般呈乳白色、致密块状，围岩为糜棱岩或糜棱岩化岩石。岩石的变形蚀变史为：围岩先发生糜棱岩化，在此基础上伴生或随后发生硅化，形成石英脉，最后叠加微弱的脆性裂纹及沿裂纹两侧发育少量金属矿化，如黄铁矿化和方铅矿化，两者晶体均呈立方体，且颗粒较粗。但这种叠加现象一般很少。

石英脉与两侧围岩呈突变接触，围岩无明显的矿化蚀变。这表明形成石英脉的热液与围岩同处于深部平衡温压形态，由于石英脉的形成深度较大，温压条件相对较高，故活泼性金属元素和挥发分多以活化状态随热液向上迁移，而很少留居脉体或进入围岩矿物格架，这样的环境也不利于硫化物和金的沉淀。这类石英脉中金含量一般较低(据 13 个样品对数平均含金 5.27×10^{-9})，其他金属元素的含量也较低(Ag 0.23×10^{-6}、Pb 62.37×10^{-6}、Zn 66.78×10^{-6}、Cu 27.54×10^{-6}、Sb 0.42×10^{-6}、Bi 0.13×10^{-6})。在有后期脆性叠加的石英脉中，金含量多在 0.1 g / t 左右，个别石英脉高达 1.450×10^{-9}，但一般不会构成工业矿体。

(二)韧-脆性剪切带与金、铅、银成矿的关系

马超营韧-脆性剪切带发育于断裂带上部，是由数条断裂带组成的断裂束。研究表明，它是一长期活动的剪切带。由于马超营断裂带在海西—印支期之后持续抬升剥蚀，结果使不同时代、不同深度层次形成的各类断裂变形产物，可能出现在同一标高或近似标高的露头上，这种地质现象，是该区长期抬升剥蚀，同时又遭受有活动剪切带不断向下切割多次叠加的结果，这些时代和深度不同的变形产物在空间上可以有序叠加，控制金矿的形成，也可以互不干扰单独保存。

1. 韧-脆性剪切带的蚀变矿化

韧-脆性剪切带，以韧性变形为主伴随有脆性变形，变形早期带内岩石发生黄绿色定向黑云母化，时有阳起石、绿帘石化，形成黑云母糜棱岩。金在糜棱岩中有初次富集现象，平均含金为 11.0×10^{-9}。变形晚期在黑云母糜棱岩带上叠加绢云母、绿泥石糜棱岩，同时在绢云母、绿泥石糜棱岩的退变带上发育细粒黄铁矿化、硅化、铁锰碳酸盐化和弱金矿化，矿化多沿韧性剪切裂隙充填，并略具定向性。这可能与金在地热系统中由高变质带向低变质带运移有关。

断裂带中常见到面型带状以钾长石化、硅化为主的蚀变带，这些蚀变带常分布于脆性断裂的下盘(见图 6-2)，金矿脉(体)的产出往往与钾长石化蚀变带密切相关。此期钾长石化之钾长石呈粒状分布，有双晶，是无水蚀变的产物，它可能是控矿构造活动初期，深部发生变形，形成强大的高温富 K_2O 溶液，该溶液沿构造带向上部渗透扩散交代（而不是沿剪切面渗透交代），形成宽广的面型带状钾长石化（硅化）蚀变带，由于温度高一般无硫化物和金矿化，但它构成一套特征的构造蚀变岩，成为蚀变岩型金矿、含金石英型金矿的成矿背景岩石，构造蚀变岩型金矿就是在上述背景岩石上产生的。如康山—星星阴、红庄、前河、汤营寨诸矿床（点），矿体都是叠加在早期形成的钾长石化带上。

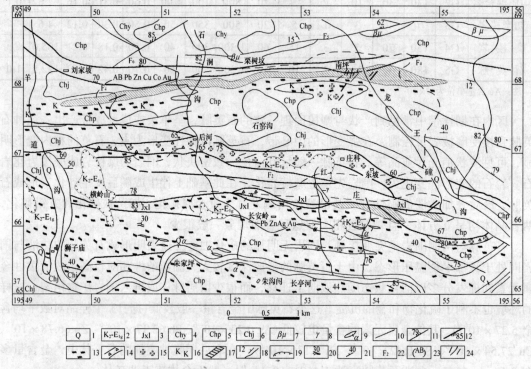

图 6-2　栾川县狮子庙红庄金矿区地质矿产略图

1—第四系；2—上白垩统－古新统高峪沟组；3—蓟县系龙家园组；4—长城系龙脖组；5—马家河组；
6—鸡蛋坪组；7—辉绿岩（脉）；8—石英脉；9—石英脉；10—实测断层；11—压性（脆性－韧脆性）断裂及产状；
12—压扭性（脆韧性）断裂及产状；13—韧性剪切带；14—断层角砾岩；15—硅化带；16—钾长石化；
17—含金蚀变岩；18—地质界线地层产状；19—地层不整合界；20—韧性剪切带产状；21—岩流产状；
22—断裂编号；23—岩石地化测量组合异常；24—金矿体（脉）

2. 韧-脆性剪切带的蚀变矿化

韧-脆性剪切带，以脆性变形为主导，并伴随有韧性变形。同时在剪切带两侧一定距离内，可以显示某种程度的塑性变形，伴随塑性变形，往往有新生片状矿物的生成，这种新生矿物是同构造期热液活动时，原岩矿物水化或动力退变的产物。在前河矿区早期韧性剪切带变形产物之上叠加的控矿韧-脆性剪切带及含矿脉具上述特征。岩石发生变形，并伴随强烈的硅化（石英化）、黄铁矿化及金矿化，由于温度较高，这种矿化多呈浸染状的黄铁矿和石英分布。所形成的石英多呈柱粒状，石英脉与围岩边界为过渡状，这是金矿化的主期，样品分析金含量 $2\,600 \times 10^{-9}$。

控制构造蚀变岩型金矿形成的韧脆性-脆性剪切带及与其伴随的特征蚀变产物形成较晚，它们切穿早期韧性剪切带，直接控制了金矿（脉）体的形成。红庄金矿区早期韧性剪切带变形，由于含矿流体的温度较高，加之糜棱质围岩的渗透性强，故形成规模较大的蚀变岩带，主要蚀变为钾长石化、细粒石英化、碳酸盐化及弱黄铁矿化。蚀变岩带含金量一般较低（小于

1 g / t），但它构成构造蚀变岩型金矿叠加矿化的物质基础，若后期韧脆性–脆性变形叠加其上，并伴随强硅化和黄铁化，金矿化就增强，形成工业矿体（见图6-3）。

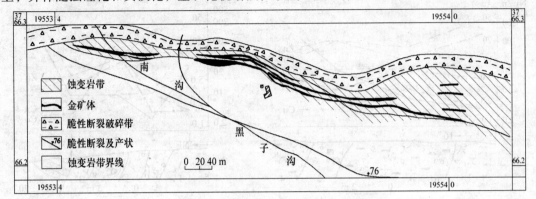

图6-3　栾川县红庄金矿矿体平面图

官道口群龙家园组白云质大理岩在韧–脆性变形过程中发生层间破碎，含矿热液沿破碎带和派生的裂隙充填交代，并萃取矿源岩中 Pb、Ag 等成矿物质，在有利部位富集成矿，形成铅（银）或银矿体。

3. 脆性剪切带的蚀变矿化

这类断裂比较发育，断裂带内常见断层角砾岩和断层泥。断面附近有少量碎裂岩，一般无应变矿物，按其与后生热液沉淀的关系，脆性断裂可划分为胶结型脆性断裂和非胶结型脆性断裂。

(1)胶结型脆性断裂：形成深度相对较大，位于脆性变形带的下部，伴随热液的胶结作用，可以以充填或交代形式，不同程度地发生或叠加金属矿化。区内各矿区发育的硅质、碳酸盐脉胶结的碎裂岩（构造角砾岩）型金矿石，就是在上述条件下形成的。胶结型脆性断裂一般处于氧化–还原界面附近，它往往是上升热液与下降地下水的汇合部位，其新生矿物除少量硫化物外，含氧盐矿物增多，常见方解石、铁白云石、黄铁矿、铅矾、黄钾铁矾等矿物，甚至可有少量氧化铁或含水氧化铁。如赤铁矿、褐铁矿、针铁矿等。如果该变形带叠加在先成含金石英脉之上，那么，氧化–还原界面附近可以有金的局部富集，金的矿化贫富不均，但自然金的颗粒一般较大。在红庄、杨寺沟、前河矿区均能见到这种现象。

(2)非胶结型脆性断裂：位于脆性剪切带上部，其产物均为断层角砾和断层泥，本区一般地质图上标出的断裂多数属此类断裂。前河矿金矿区金矿脉上盘与围岩接触处发育的断层角砾岩带或断层泥带，即属此类。它是沿矿脉上盘构造薄弱面发生的，使早成蚀变矿化初糜棱岩或矿脉破碎，形成断层角砾和断层泥，它与现存金矿的形成无直接关系。马超营非胶结型脆性断裂带，由于其形成深度浅，深部上升的含矿热液很难流经此处，因此无矿化现象；相反，地表下渗的大气降水在流经它们下渗时，多对其进行淋滤，断裂带内金含量往往低于蚀变围岩（见图6-4）。

(三)马超营断裂北侧次级断裂与金矿成矿的关系

这类断裂一般规模较小，变形较弱。多数断裂带中金含量甚微，有的由于地表下渗的大气降水对其长期淋滤，常出现断层带内的金含量低于旁侧围岩中的金含量（见图6-5）。而那些金含量高并赋存有工业矿体的断裂，多具有以下特点。

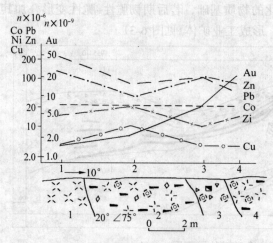

图 6-4 栾川县下雁坎马超营脆性
剪切带地质地球化学剖面图

1—块状流纹岩；2—硅化碳酸盐化碎裂岩；
3—硅化褐铁矿化断层角砾岩；4—弱硅化碎裂化流纹岩

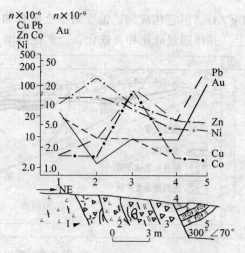

图 6-5 栾川县水磨地 NWW 向脆性
断裂地质地球化学剖面图

1—碎裂粗安岩；2—蚀变碎裂岩；3—断层角砾岩
4—蚀变碎裂大理岩；5—蚀变大理岩

1. 控矿构造为韧性和脆性

(1)构造变形：构造面较清楚，多以定向条带向围岩过渡，既有脆性变形又有韧性变形。

(2)变形产物：有脆性围岩角砾岩及显微角砾岩又有新生应力片柱状矿物(绢云母、叶片状钠长石，定向铁碳酸盐条纹，方解石条纹等)。

(3)成矿前构造热事件一般作用微弱，动力退变只局限于构造带。

(4)剪切变形带一般宽度小，数米至不足 1 m，这种小型剪切带的封闭性较好，便于上升的含矿热液集中流动集中矿化。

2. 矿化特征

伴随早期变形，发生钾化、钠化和碳酸盐化，接着发育黄铁矿化，所生成的黄铁矿多为细粒浸染状，晶形以自形为主，多为五角十二面体和立方体，沿裂隙充填呈条带状者，粒度较粗，但自形程度差。

矿物成生顺序为石英→钠长石+铁碳酸盐+绢云母→黄铁矿→方解石+黄铁矿→方解石。

金矿化与黄铁矿化关系密切，且矿化主要集中于断层带中，而旁侧蚀变围岩矿化较弱(见图 6-6)。

3. 围岩蚀变特征

主要蚀变为钠长石化、(铁)碳酸盐化、强绢云母化、黄铁矿化及硅化，以低温产物为主，矿脉旁蚀变范围小，硅化主要为脉内蚀变。

北岭金矿处在马超营断裂北侧，矿床受剥离断层上盘滑脱层中次级剪切带和裂隙控制并具上述特点。

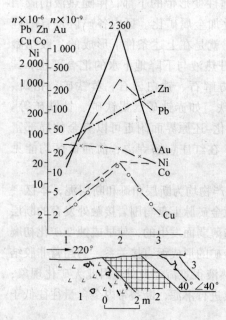

图 6-6 栾川县北岭金矿 F881 号脉
900 m 地质地球化学剖面图

1—弱绿泥石化含杏仁安山岩；
2—强烈黄铁矿化构造蚀变岩型金矿层；
3—层凝灰岩

二、燕山期逆冲推覆构造对金矿的控制作用

燕山期由于地幔萎缩产生南北向强大挤压应力，在挤压应力作用下沿瓦穴子、黑沟、马超营大断裂发生大规模自北向南逆冲推覆。马超营断裂的推覆活动经野外调查和镜下观察为左行逆冲剪切，是在早期右行下滑构造变形之后产生的，它叠加在早期构造变形之上，常沿早期形成的断面发生。而与之有关的含矿热液活动使早成矿体或矿化体加富、改造，同时又可形成新的矿（脉）体。

(一)推覆构造带的热液活动

马超营断裂在燕山期表现为规模巨大的推覆断裂，断裂带作为一强烈热液活动带的标志是：发育一系列与热液活动有关的元素异常。异常多呈带状，长条状沿断裂展布，自西向东均表现为中低温元素组合，以金、铅、锌、银为主，并叠加有中高温钨、钼组合特征。在横向上，异常主要分布在推覆构造前缘带(见图6-7)。

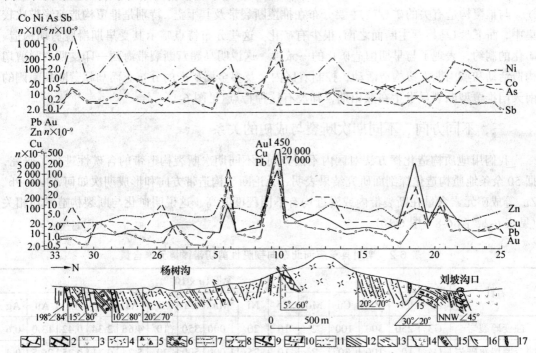

图6-7 栾川县白土乡杨树沟马超营断裂带地质构造地球化学剖面图

1—硅质条纹白云岩；2—结晶大理岩；3—安山岩；4—流纹岩；5—压碎安山岩；
6—黄铁矿化黑云斜长片麻岩；7—糜棱岩化安山岩及安山质糜棱岩；8—糜棱岩化流纹岩；
9—糜棱岩化白云岩大理岩；10—糜棱岩化含石英结晶灰岩；11—英安质糜棱岩；12—糜棱岩；
13—绢云千糜岩；14—不整合面；15—断层及断层角砾岩；16—推覆断裂；17—含金石英脉

金元素的富集是马超营断裂带的一个重要特征，在1:10万岩石地球化学异常图中可看出，Au、Pb、Ag等元素异常明显受推覆构造前缘断裂带的控制。

(二)推覆构造与成矿的关系

黑沟—栾川断裂、马超营断裂均为长期活动的大断裂，燕山期为其大规模韧脆性推覆构造活动期，在推覆（俯冲）作用下，俯冲地体下插到逆冲上盘地体之下时，由于梯度增温增压的影响，俯冲地体中的不稳定组分将依熔点降低的顺序发生熔融并向上迁移，从而造成浅部

岩石、矿床、地球化学上的分带现象(陈衍景等，1990)。马超营断裂在燕山期推覆构造前缘断裂带中发育有金、铅锌、银矿化，并有钨、钼矿化，根据陈衍景等建立的"碰撞造山成矿模式"，前者中低温热液矿化应属马超营推覆构造前缘带的产物，而后者则属黑沟—栾川推覆构造根部带岩浆活动的产物。需要指示的是，店房爆破角砾岩型金矿是属黑沟—栾川推覆构造根部带岩浆活动的产物。

马超营推覆构造活动是在近南北向挤压应力下发生的，在近南北向挤压作用下，形成一系列近东西向韧脆性剪切带，控制着近东西向矿(脉)体的产出。由于破碎带规模大，常形成规模大的矿体。在推覆活动的松弛阶段，推覆体上盘形成一系列近南北向、张性断层与推覆活动派生的北东向韧脆性剪切带常叠加在早成含金蚀变岩(或成矿背景岩石及矿化体)之上(见图 6-2)。当矿质被再次活化、迁移时，在这些破碎带中和次生的裂隙中形成富矿(脉)体，如康山、磨石沟、南坪、石印沟、庙岭等矿床(点)之矿(脉)体均受近南北向脆性(张性)断裂控制。

与推覆构造有关的矿(点)，主要分布在推覆断裂带及其上盘，特别是推覆构造前缘带比较集中，而下盘(马超营主断面之南)很少有矿化。这些分布特点暗示其受早期滑脱剪切构造、矿化的制约，表现了与早期构造矿化的一致性。这说明马超营断裂带海西—印支期滑脱剪切构造活动和燕山期推覆构造活动，控制着区内金及多金属矿产的分布。而马超营断裂南侧的南天门推覆型断裂虽发生在燕山期，却没有这种特点(见图 6-1)。

三、不同方向、不同期次断裂与成矿的关系

我们用地质构造化探方法对区内不同方向、不同期次断裂构造带的含矿性进行了研究，据 50 余条地质构造化探剖面研究结果表明，无论断裂构造带方向和形成期次如何，Au、Pb、Zn 等成矿元素含量在断裂带内或附近均有不同程度升高，这说明矿化与断裂构造密切相关(见表 6-2、图 6-8～图 6-10)。

表 6-2　栾川县草庙河北东向韧脆性剪切带微量元素含量

岩性	样号	元素含量($n \times 10^{-6}$)													
		Pb	Zn	Cu	Mo	Co	Ni	Mn	Ba	Sr	As	Sb	Bi	Au	Ag
蚀变碎裂岩	G3	250	300	100	2	10	20	1 000	350	10	4.66	2.34	0.42	13.0	0.6
蚀变断层角砾岩	G4	100	100	30	2	10	25	1 000	500	20	5.24	0.31	0.25	20.5	0.4
蚀变碎裂岩	G5	80	100	15	3	25	70	1 600	350	20	2.00	0.40	0.20	13.0	
安山岩	G6	80	120	10	1	30	70	1 400	400	130	1.92	0.34	0.28	4.8	

注：Au 含量单位为 $n \times 10^{-9}$。

(1)马超营断裂带的金矿脉(体)均分布于不同方向的含金构造带中，通过矿化对比，近东西向和北东—北北东向断裂带矿化最好，次为近南北向、北西向断裂除北岭金矿外，一般矿化较差。

(2)区内北东向或近东西向控矿断裂系统及次断裂，往往是平行排列、雁形展布，形成的矿体矿脉常成群成带密集出现。在北东向与近东西向两组断裂交会处有利于成矿，且矿化较好(如康山—星星阴、红庄、汤营寨、前河等金矿或矿体)。

(3)北东向断裂具等距性，从而出现矿床(矿体)等距分布的规律，如沿东西向马超营

断裂带分布的康山(星星阴)—红庄—北岭—店房金矿依次相距约 20 km,前河金矿床距东西两相邻矿床均在 10 km 左右,这次发现的刘家沟口金矿点,在康山金矿以西约 10 km 处。

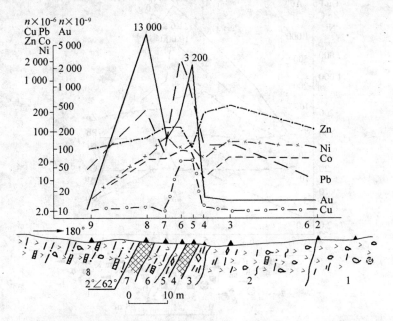

图 6-8 嵩县前河金矿区Ⅳ矿带 630 m 地质地球化学剖面图

1—黑云母、阳起石化、磁铁矿化杏仁状安山岩;2—黑云母化及绢云母化安山岩;3—黄铁矿化黑云绢云蚀变岩;4—安山质构造蚀变岩型金矿(伴生有钾长石化、硅化、绢云母化、黄铁矿化及萤石化);5—同构造钾长石化、绿泥石化安山岩(伴有黄铁矿化);6—黑云母化斑状安山岩;7—强烈钾化岩中的网脉状黄铁矿型金矿(钾化:早期钾长石呈粒状,晚期钾长石呈脉状,并伴有绢云母化、黄铁矿化);8—含杏仁斑状安山质初糜棱岩(伴有黑云母化、黄铁矿化)

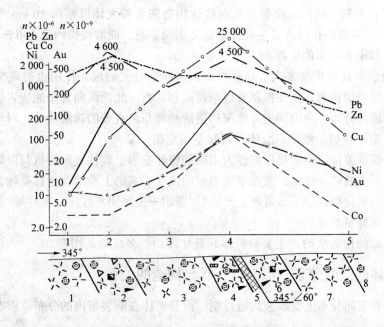

图 6-9 嵩县大章银鹿坪北东东向剪切带地质地球化学剖面图

1—硅化流纹岩;2—硅化、硫铁矿化角砾岩;3—硅化流纹岩;4—黄铁矿化蚀变碎裂岩;5—多金属矿化石英脉;6—硅化、褐铁矿化碎裂流纹岩;7、8—硅化流纹岩

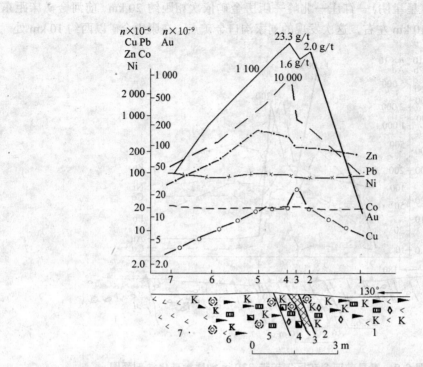

图 6-10　栾川县狮子庙南坪金矿点近南北向矿脉地质地球化学剖面图

1—碎裂安山岩(面状钾长石化)；2—矿化碎裂蚀变岩(钾长化石化呈网脉状伴有硅化黄铁矿化)；

3—多期硅化石英脉；4—多金属矿化含金石英脉；5—钾化、硅化、黄铁矿化碎裂岩；

6—弱钾化、硅化、黄铁矿化碎裂岩；7—碎裂岩

据航片解释资料，熊耳山南麓北东向线性构造密集带大体以东西 10 km 等距(白万成，1993)。在康山—星星阴矿区内，主要控矿的北东向断裂，成群成带约呈 100 m 的等距斜列，出现了矿体矿脉密集分布的矿群。

马超营断裂带具有长期多次活动的特点，与断裂有关的成矿作用也表现为多期次。海西—印支期滑脱剪切构造，主要控制着近东西向和北西—北西西向含金蚀变岩带，构造蚀变岩型金矿的形成与分布。燕山期逆冲推覆构造活动和与之有关的热液活动，对早期形成的矿(化)体进行改造、叠加，使矿(化)体变富和空间定位。

由于燕山期推覆构造主要是以脆性为主的韧脆性变形，脆性变形的机制以碎裂为主，流体主要以充填形式成矿。所以，常在早期形成的蚀变岩基础上叠加含金石英脉，或使早成石英脉破碎改造，矿化得到进一步富集，形成(如康山—星星阴、红庄、南坪等)含金石英脉型或蚀变岩—石英脉复合金矿。

燕山期之后的构造活动，主要对矿体起破坏作用，多属破矿构造。

四、矿体的空间分布、形态、产状与构造的关系

金矿不仅在空间分布上受断裂构造控制，而且矿体在断裂带内的分布、形态、产状均受断裂制约。

前河金矿，金矿体呈近于平行的脉状，沿构造带分布，并集中产于断裂带的中上部，离开断裂带则无矿体存在。

星星阴金矿，金矿体产于矿化破碎带中，且受集中于含矿断裂的北东端，由于断裂带的规模与强度，自北东向南西逐渐变小和减弱，因此矿体厚度、矿化强度也随之变薄和减弱。矿体产状亦受断裂产状及旁侧的裂隙控制，与断面产状基本一致。如北岭金矿，矿体受断裂产状及旁侧平行裂隙产状的控制（见图6-11），矿体倾向南西，倾角中等(18°～45°)。

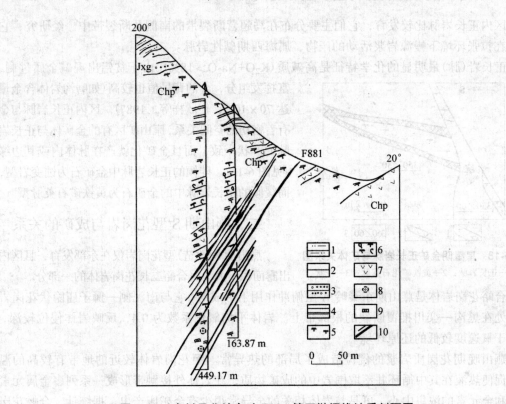

图 6-11 栾川县北岭金矿 F881 第四勘探线地质剖面图

1—蓟县系高山河组泥质砂岩；2—中粗粒砂岩；3—含砾砂岩；4—长城系马家河组变质砂岩；
5—粗安岩；6—杏仁状粗安岩；7—安山岩；8—硅化；9—黄铁矿化；10—矿(脉)

矿体形态随断裂带结构面力学性质的不同而有差别。

(1)压性结构面，碎体多呈透镜状、脉状和板状，有时出现尖灭再现和分支复合现象。

(2)张性结构面，矿体(脉)呈"之"状，透镜状，剖面上呈楔状或不规则状。

挤压破碎带在走向和倾向上都是舒缓波状，在其整体上受到垂直其走向的压应力作用下，部分地段造成相对引张，成为矿体赋存的场所。星星阴金矿床成矿时北东向断裂整体看是处于压剪性，在压剪应力作用下，断裂呈反扭运动，故断裂向北偏转部位相对引张，矿体呈透镜状，厚度大，品位高。向北东东端转部位则挤压强烈，矿体薄，矿化差(见图6-12)。

压扭性断裂，矿体成群平行排列斜列，如康山、杨山、杨寺沟金矿，北东向含金石英型金矿体。

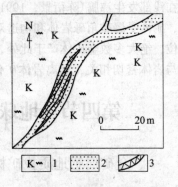

图 6-12 栾川县星星阴金矿矿脉平面图

1—钾长片麻岩；2—黄铁绢英岩；3—矿化石英脉

第三节 岩(脉)体与成矿的关系

一、海西期碱性岩脉与金矿成矿的关系

区内正长岩脉比较发育，它们主要分布在马超营断裂带的南侧及断裂带中。经研究，它们是在拉张环境下幔源岩浆活动的产物，属海西期碱性岩脉。

正长岩(脉)最明显的化学特征是高碱质($K_2O+Na_2O>18\%$)，由于贫铝出现碱金属过剩，

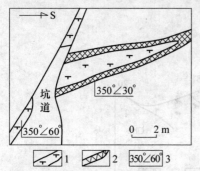

图 6-13 星星阴金矿正长岩脉与矿体关系图
1—正长岩脉；2—黄铁矿化石英脉；3—产状

富挥发组分，金的背景值也较高(如磨沟岩体含金量达 $70×10^{-9}$，卢欣祥等，1987)。区内正长岩脉与金有着密切的空间关系，康山矿区有的金矿体与正长岩脉的产状一致，而且金矿化就产在脉体内或其边缘(见图 6-13)。陡倾的正长岩脉中金矿石为蚀变岩型，而缓倾的正长岩脉中的金矿石为黄铁矿石英脉型。

二、燕山期 S 型花岗岩与成矿的关系

燕山期 S(改造)型花岗岩仅在东部发育，且区内出露面积不大，属合峪二长花岗岩体的一部分。

合峪花岗岩体是燕山期东秦岭 A 型俯冲作用下形成的。它与南泥侧—狮子庙隐伏花岗岩体同处在黑沟—栾川推覆断裂的根部带上。岩体平均氧化系数为 0.4，反映岩体侵位较深，形成于氧逸度较低的还原环境。

燕山晚期花岗质岩浆的侵位造成了局部的热异常。距花岗岩体较近的地带有较高的温度，促使热液在其中循环并萃取围岩中的成矿物质，在岩体外接触带形成一系列多金属元素异常和金元素的浓集中心。可是与岩体相关的金异常很少有金矿床产出。据统计，合峪花岗岩体的金平均含量仅 $0.714×10^{-9}$，金含量如此低，它不能为金矿的形成提供充足的物质。

我们认为，花岗岩不是马超营金–多金属矿带的惟一热源，但它作为一次热事件，无疑为成矿提供了一定的热能，使早期形成的矿体中的金及其成矿元素再次活化、迁移、叠加改造形成富矿体。

花岗岩岩浆演化到后期，可分异出部分富挥发分和成矿元素的溶浆，其上侵能力较强，可在浅部发生沸腾(陈衍景，1991)，形成如店房爆破角砾岩型金矿，岩体受早期断裂构造控制，矿体受爆破角砾岩体和构造双重控制。大部分矿体产于岩体中。岩体顶部是成矿最有利部位，绝大多数金矿体产于此处，矿体形态、产状及分布受爆破角砾岩体制约。金矿化的强弱与岩体密切相关，远离岩体矿化减弱。

第四节 地球物理、金矿遥感地质找矿信息

一、金矿遥感地质找矿标志

(一)线性构造带是控制成矿带的主要构造

断裂蚀变岩型金矿、含金石英脉型金矿及爆破角砾岩型金矿是熊耳山区的主要金矿床类

型，这些矿床的产出与断裂构造活动有着不可分割的关系。这些控矿构造多半是在遥感影像中反映最直观、定位最确切的构造线性体。因此，区域构造线性体在优势方位区间的集约地和线环影像模式同现部位，既是物探重磁场的梯度带、异常带，也是地壳的热变带。它揭示了区域导矿、储矿构造，矿源层、热源层等共同作用，构成成矿有利条件。

线性构造带多发育在基底隆起之脊或隆凹的过渡部位。这是因为隆起区或隆凹变异区处于地壳构造应力集中的部位，在地壳均衡补偿作用下产生的构造变动，使岩层遭受挤压上拱张裂，形成有利热液活动的空间。如在故县—狮子庙基底隆起区产生了马超营—前河线性构造带，其控制着本区金及多金属矿产的分布。

从张天仪、张振海等所作线性构造矿化有利度图中可以看出，本区出现有较强的近东西向构造梯度带，反映了早期古地壳应力集中区，后期构造应力形成的北东向线性异常带，则是等间距展布，异常中心多出现在两者的交汇处。据地球化学和矿产资料对应分析，线性异常中心多和金异常中心相吻合，区内已发现的康山、太洞沟、红庄、前河、店房等贵金属，多金属矿床(点)多分布在线性异常中心附近。因此，可以认为，由线性构造引起的线性异常、梯度带构成了较大范围的成矿远景区(带)。

(二)大型线性构造体彩色异常是重要的矿带构造

深大断裂呈大型线性构造体，此种断裂具有矿和储矿的能力。沿线性构造体出现有串珠分布的彩色斑块，这种彩斑是地表矿化蚀变引起的退色的反映，它能指示出产金区的具体所在部位。如在康山、七里坪、上宫、干树凹等多个彩色异常。与彩色异常相对应，地球化学图上出现一系列金的地球化学异常，并分布有康山、上宫、干树凹等金矿床，构成北东向金成矿带。

二、地球物理找矿标志

马超营断裂带在航磁图上反映比较清晰，呈明显的线性带状磁场。在潭头盆地以西为正负交变磁场区，航磁异常呈串珠状排列，北西—北西西向，与区域构造线一致，形成马超营—重渡异常，在段树以西异常带与马超营(脆性)断裂重合在一起，到东部逐渐分开呈喇叭状，这正和马超营断裂带早期韧性剪切带和挽近期脆性剪切带展布形式吻合，是区域变质与断裂构造、热液活动的综合反映。而负异常则是断裂与岩体斜磁化的叠加负磁场。

马超营断裂对应地幔幔坡，由于莫霍面上隆区的斜坡是地壳厚度变化最大部位，即厚地壳与薄地壳的交替带，因此在这些部位常易发生区域性的主干断裂。马超营主干断裂的航化极(ΔT化极)异常特征，主要表现为沿断裂走向延伸的带状磁力高，其次显示为梯度带沿断裂及局部磁力高，等值线沿断裂走向扭曲。局部异常多处于不同岩性接触部位，特别是花岗与熊耳群的接触带，这些部位是多金属或金矿生成赋存部位，局部异常具有一定程度的找矿意义。

根据已知矿产与磁重异常二次(ΔT化极、上延、浅、深部重力异常)之间的关系，区内金矿找矿标志如下：

(1)地幔斜坡上，重、磁梯度带。此地带往往是地应力积累带，易于发生断裂和引发深成岩浆上侵。在断裂构造作用和岩浆作用下金及多金属成矿元素被活化、运移，在一定深处的构造有利部位沉淀富集，形成矿床或矿点。

(2)航磁化极正强磁范围内，或狭窄低缓磁场带ΔZ强度在$100\sim200\gamma$间，与两侧高值形成截然不同的磁场特征。杨寺沟铅锌(银)矿点也位于低缓和负值场槽带中。

(3)有磁异常，同时又为重力高值区。如马超营村西部，分布有呈T形的磁异常，同时又为重力高值区（见图 6-14），地表对应发育化探 Au、Pb、Zn、Cu 等元素异常和重砂铅族、铜族、自然金异常。

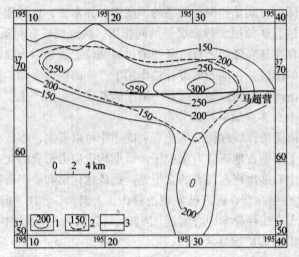

图 6-14 栾川县马超营段上延 2 km、5 km ΔT 平面图

1—上延 2 km；2—上延 5 km；3—断裂

红庄金矿区有明显的激电异常，其特点是南缓北陡，异常在 η_s 平面等值线图上（见图 6-15），表现为平行蚀变岩带南北宽 120 m 左右，东西未封闭的条带状异常，在第四勘探线剖面图上（见图 6-16），不同极距的联剖曲线表现为异常交点呈 60°左右南倾，η_s^A 与 η_s^B 所夹的面积在交点两侧皆为南小北大；在第四勘探线剖面的测断面图上，圈出一个浅部略南倾，总体向北倾的高阻、高极电异常。

经研究，极化体一般反映的是硫化物的范围，金的产出一般与黄铁矿化、铅矿化有关，但不是完全正相关关系。当黄铁矿化呈浸染状分布，而其他蚀变变强时（如硅化等），则金的含量较高，此时电法的反应是视极化率较高，视电阻率也较高，由此圈出的电法异常是有意义的。

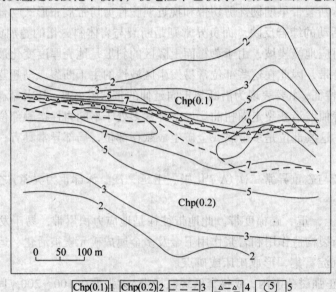

图 6-15 栾川县狮子庙乡红庄金矿区激电 η_s 等值线平面图

1—压碎安山岩；2—糜棱岩化安山岩；3—蚀变带界线；4—断裂带；5—η_s 等值线

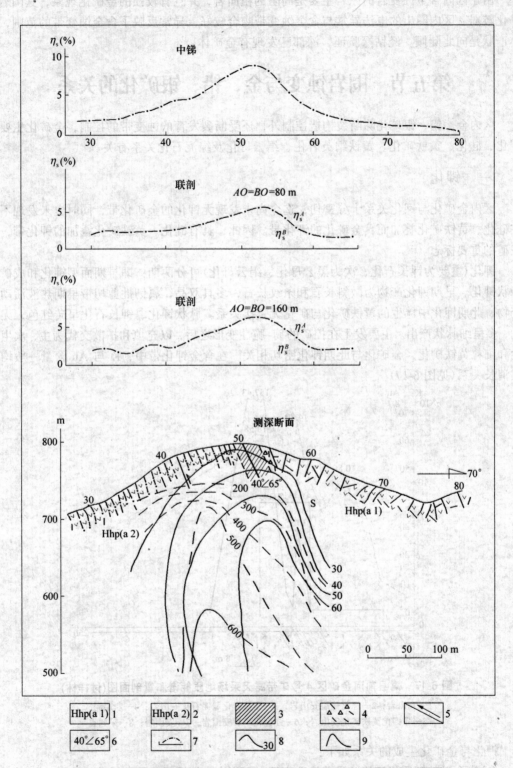

图 6-16 栾川县狮子庙乡红庄金矿点第四勘探线激电地质综合剖面图

1— 压碎安山岩；2—糜棱岩化安山岩；3—蚀变岩；4—断层破碎带；5—断层；
6—产状；7—R_s 曲线；8—η_s 曲线；9—ρ_s 等值线

由于区内含金蚀变岩的原岩主要是高阻的粗面岩，并且有较强的金矿化现象，其围岩则矿化较弱。区内圈出的电法异常与含金蚀变带吻合较好，异常反映了含金蚀变带的范围，总体产状是向北陡倾。经钻探验证，深部已发现有金矿体。

第五节 围岩蚀变与金、铅、银矿化的关系

区内金、铅、银矿化除断裂构造控制外，还受断裂发育的蚀变带的控制，金矿化主要与钾化、硅化、黄铁矿化、黄铁绢英岩化、绢云母化及绿泥石化关系有关。

一、钾化

区内金矿化与钾化关系十分密切，迄今尚未发现无钾化的金矿化带，同时也未发现不存在硅化、黄铁矿化叠加而具金矿化的钾化带。因此，具有硅化、黄铁矿化叠加的钾化带，是找矿的重要标志。

钾化(主要为钾长石化，次为黑云母化、绢云母化)可分两期：即早期面型钾化和成矿期脉状钾化。早期钾化产物为微斜长石和条纹长石，多具双晶，属韧性剪切带早期热液活动的产物，此期钾化中伴生的黄铁矿化与矿化无直接关系。脉状钾化、钾长石化呈砖红色，无双晶，多呈细脉状产出。主要发生在控矿的韧-脆性变形之后，以充填和扩散交代为主，次生硅化和细粒黄铁矿化，金矿化与此期钾化密切相关。在含金钾化带中，K 与 Au 含量一般均呈正消长关系(见图 6-17)。

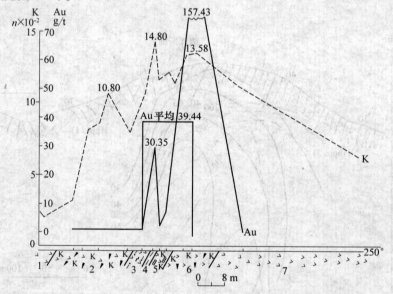

图 6-17 嵩县前河金矿区 4 号矿带露天采场地质能谱测量剖面图(付祥林)

1—安山岩；2—钾化碎裂安山岩；3—糜棱岩化绿泥石化安山岩；4—断层泥；
5—强钾化黄铁矿化安山岩；6—强钾化矿裂安山岩；7—安山岩；8—采样点

钾化与金矿化生成的关系如下：

(1)当含矿的钾质成矿热液沿着构造充填与围岩产生钾质成矿热液沿着构造充填与围岩产生钾化蚀变作用而形成钾化蚀变带后，由于热液的物理、化学条件的变化，致使含金黄铁矿石英脉析出，在钾化蚀变带中，由于含金黄铁矿石英脉的叠加，而使金得到富集形成金矿体。

(2)在热液初始阶段，K 含量高的强碱性条件下，不利于 Au、FeS_2、SiO_2 的析出和富集，只有当含矿的钾质成矿热液，与围岩发生蚀变交代作用而失去大量 K，热液变成弱碱性或中性条件时才有利于 Au、FeS_2、SiO_2 等物质的沉淀。因此，说矿化主要富集于强钾化蚀变过程中，是有一定道理的。

二、硅化

硅化在金矿和铅(银)矿中分布十分广泛，具有明显的多阶段性。一般第一个阶段形成不含矿石英脉，在随后两个成矿阶段中，石英与黄铁矿及少量铅锌、黄铜矿、金矿铅银矿中主要与铅银及少量的黄铜矿等一起，沿早期石英脉网状裂隙溶蚀交代，充填或呈粒间交代剪切带内岩石，形成含金多金属硫化物条带及细脉，一般硅化强，矿化亦强。

三、绢云母化

绢云母化与硅化一样，在金矿中分布广泛。康山金矿、北岭金矿、庙岭金矿蚀变较强，与金矿化关系较密切。其形成具多阶段特点，首先韧性变形绿片岩相糜棱岩带形成，在韧性剪切之后硫化物叠加矿化期，绢云母与石英、硫化物、重晶石、白云母一起，沿石英脉网状裂隙溶蚀交代或呈粒间交代早期蚀变的岩石。当强烈的绢云母化伴随强硅化和黄铁矿化时，形成黄铁绢英岩型金矿石。可作为找矿的标志。

四、(铁)白云石化

它与矿化较密切。火山岩中的铁白云石化，早期铁白云石主要是显微粒状集合体交代岩石中的铁镁矿物，其次交代长石，但无矿化；中期铁白云石，多呈细-粗粒集合体，成细脉团块穿插交代岩石及矿石，并伴随有矿化。

片麻岩、混合岩中的白云石，主要产生在成矿阶段，白云石呈细-微粒状集合体单独或与绢云母、石英组成细脉，并伴有矿化。

五、绿泥石化

绿泥石化在韧性变形低绿片岩相糜棱岩中较发育，但无矿化。在韧性变形之后，硫化物叠加矿化期产生的绿泥石化，常伴有矿化。

第七章 稳定同位素及成矿物理化学条件

第一节 硫同位素

一、硫同位素组成

本项目共分析硫同位素样品 52 件，主要为黄铁矿、方铅矿及少量闪锌矿。大部分为沿马超营断裂带产出的各个金矿床(点)的样品，为了对比，亦对燕山期合峪花岗岩体及老庙沟斑岩型钼矿取了少量样品。硫同位素组成(见图 7-1、表 7-1)特征如下：

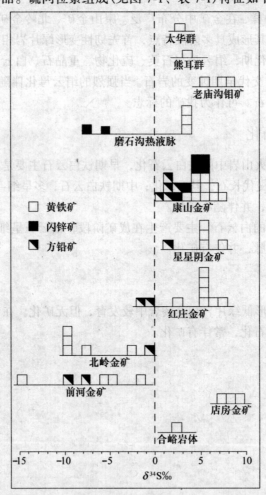

图 7-1 马超营断裂带有关金矿床硫同位素直方图

(1)中元古界熊耳群火山岩中黄铁矿 $\delta^{34}S$ 值为 4.2‰，太华群变质岩为 3‰。

(2)南侧老庙沟斑岩型钼矿点中黄铁矿的 $\delta^{34}S$ 值为 5‰～8‰。

(3)燕山期合峪花岗岩体中黄铁矿的 $\delta^{34}S$ 值为 2.8‰。

表 7-1 马超营断裂带有关金矿床硫同位素组成

样品号	$\delta^{34}S‰Py$	$\delta^{34}S‰Sp$	$\delta^{34}S‰Gn$	矿床名称
9201	−4.5			
9202	−9.6			
9203	−5.5			前河金矿
9204			−7.7	
9210-12	−1.4		−9.2	
9217			−22.2	
9208	2.8			合峪岩体
9218	7.3			店房金矿
9219	8.0			
9220	9.2			
9223	−7.6			
9224	−2.2		−0.6	北岭金矿
9226	−10.0			
9227	−9.9			
9229	−10.2			
9232	7.6			
9234	6.2			
9235	7.5			
9236	2.3			红庄金矿
9238	5.4			
9240	5.6		−0.7	
9241	5.3		−2.2	
9245	5.8			
9246	6.0			星星阴金矿
9247	6.1			
9249	7.3		1.5	
9252-1	3.1	1.9		
9252-2	5.6	4.1	1.1	
9252-3	5.2	4.2	1.7	
9252-4	5.9		0.4	
9252-7	6.9	5.7	2.4	康山金矿
9254	7.2	5.2	1.2	
9255	6.5	3.2		
9256	4.4			
9258	4.1			
9261	4.3			
9262	3.1		−5.7	
9264	3.8			磨石沟组
9266	3.2		−7.4	
L01	8.7			
L02	5.5			老庙沟钼矿
L03	7.4			

注：Py 为黄铁矿，Sp 为闪锌矿，Gn 为方铅矿。

(4)康山磨石沟熊耳群火山岩中热液脉状黄铁矿的 δ^{34}S 值为 3.5‰。

(5)康山含金石英脉近地表部分黄铁矿的 δ^{34}S 值为 3‰～7‰，平均 5‰。

(6)店房金矿黄铁矿的 δ^{34}S 值为 8‰。

(7)红庄及星星阴含金蚀变岩中黄铁矿的 δ^{34}S 值为 5‰。

(8)前河、北岭两金矿强绢云母化蚀变岩中黄铁矿的 δ^{34}S 值为负值。前者多为 -6‰～ -1‰；后者为 -9‰～ -2‰。

由上可知，本区硫同位素分配的主要特征是：①与含金热液形成和演化有关的地质体太华群片麻岩、燕山期花岗岩体、熊耳群火山岩中的硫同位素组成近零值(约 3‰)；②石英脉型、斑岩型和爆破角砾岩型金、钼矿床的 δ^{34}S 值也为小正值；③构造蚀变岩型金矿床，特别是强绢云母化的蚀变岩中黄铁矿的 δ^{34}S 值为负值。

二、硫同位素地质温度

利用测定硫化物矿物对来计算硫同位素平衡温度，首先一条是必须判断共生矿物对在反应过程中真正达到同位素平衡，只有这样算出的温度才代表平衡温度。

一般认为，只要发现 δ^{34}S(Py) > δ^{34}S(Sp) > δ^{34}S(Gn)，就说有关矿物达到了同位素平衡，但仅据此条件还欠充分。在测算平衡温度时，还应附加一些条件。这就是反算出的温度在地质上合理，且与包体测温基本相符。本课题就是根据这些原则，对研究区内有关金矿床共生硫化矿物的硫同位素平衡温度进行测算的，其硫同位素组成及平衡温度见表 7-2。其中 52～54 号(6 个)样品采自康山含金石英脉中，有 4 个样品均为黄铁、闪锌、方铅三种矿物密切共生样品，同时据有关原则及方法判定这三种硫化物共沉淀时硫同位素组成完全达到了平衡。故所计算的温度，即为硫同位素平衡温度。表 7-2 所列的其他样品，均采自含金蚀变岩中，它们只有两个硫化矿物共生，故不能用前述方法来判断是否达到硫同位素平衡。目前算出的温度，虽较包体所测温度稍低，但仍比较接近，在讨论热液成矿温度时仍可参考。

表 7-2 马超营断裂带金矿床硫同位素平衡温度

样品号	δ^{34}S (Py)	δ^{34}S (Sp)	δ^{34}S (Gn)	Δ(Py–Gn)	T(℃)	Δ(Sp–Gn)	T(℃)	Δ(Py–Sp)	T(℃)	Δ(Py–Gn)	矿床名称
9252-2	5.6	4.1	1.1	45	201	30	218	1.5	169	1.5	康山
9252-3	5.2	4.2	1.7	35	267	25	265	1.0	277	1.4	
9252-7	6.9	5.7	2.4	45	203	33	195	1.2	229	1.4	
9254	7.2	5.2	1.2	60	139	4.0	152	2.0	116	1.5	
9252-1	3.1	1.9						1.2	229		
9252-4	5.9		0.4	55	158						
9249	7.3		1.5	58	146						星星阴
9240	5.6		- 0.7	63	129						红庄
9241	5.3		- 2.2	73	101						

图 7-2 为研究区硫同位素平衡温度直方图，图 7-3 为黄铁矿、闪锌矿、方铅矿三矿物与黄铁矿、方铅矿两矿物共沉淀时温度的对比图。

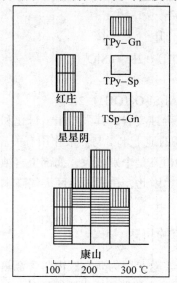 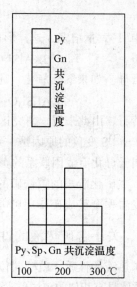

图 7-2 硫同位素平衡温度直方图　　图 7-3 黄铁矿、闪锌矿、方铅矿三矿物沉淀温度与黄铁矿、方铅矿两矿物沉淀温度对比图

从图 7-2、图 7-3 可以看出：

(1)黄铁矿、闪锌矿、方铅矿三种硫化矿物共沉淀的温度比黄铁矿、方矿铅两种矿物共沉淀的温度高。前者多在 200～250 ℃，后者多落在 150 ℃左右。

(2)黄铁矿、闪锌矿、方铅矿三种硫化矿物共生的样品，主要出现在康山含金石英脉中；黄铁矿、方铅矿两种矿物共生的样品一般出现于含金蚀变岩中。所以我们认为，含金石英脉的成矿温度(150～250 ℃)比含金蚀变岩的蚀变温度(150 ℃左右)高。前者可列入中温热液矿床，后者可列入中低温热液矿床。

(3)研究区内与金密切的金属硫化物，主要为中温热液矿化期和中低温热液矿化期生成。

(4)研究区内含矿热液所含的金属离子除 Fe^{2+} 外，还有一定数量的 Zn^{2+} 和 Pb^{2+}，但 Zn^{2+} 远远少于 Pb^{2+}，这样，在较高的温度下可以沉淀出黄铁矿、闪锌矿、方铅矿这三种硫化物；到了中温阶段末期，含量较少的 Zn^{2+} 已基本消耗完了，于是只能沉淀黄铁矿和方铅矿这两种矿物了。由硫化物这种共生组合和特点表明：康山含金石英脉型金矿较之东部红庄、前河、北岭等地蚀变岩型金矿，成矿时间早，且成矿深度亦大(温度高)。

三、关于前河、北岭等蚀变岩型金矿 $\delta^{34}S$ 值大多为负值的地质解释

含矿热液沿构造破碎带向上运移，如与自上而下渗滤的地下水混合，则所成混合热液的氧逸度肯定会升高，即 H_2S / SO_4^{2-} 比值会明显变小，在这种情况下沉淀出的黄铁矿的 $\delta^{34}S$ 值为负值。

同时，关于这些矿床普遍发育的"强绢云母化"与黄铁矿 $\delta^{34}S$ 值为负值二者有无联系？通过硫同位素研究认为这二者都是由于地表水(雨水)参与成矿作用引起的。即来自深部的含矿热液，其氧化状态一般比来自浅部的地下水低得多，所以，含矿热液一旦与地下水相混，其氧逸度必然升高，热液的氧逸度一旦升高，其中的水溶 H_2S 就可能转化为 H_2SO_4。由于氢硫酸的电离度相差甚远，在 18 ℃的溶液中，氢硫酸的电离度仅为 0.07%，而硫酸的电离度则

高达 58%。由 H_2S 氧化成 H_2SO_4 时，必然导致溶液强烈电离

$$H_2S+2O_2=H_2SO_4$$

$$H_2SO_4=2H^++SO_4^{2-}$$

使热液中 H^+ 大量增多，这样形成的 H^+ 与长石作用，即

$$3KAlSi_3O_8+2H^+=KAl_3Si_3O_{10}(OH)_2+2K^++6SiO_2$$

形成绢云母。如果继续氧化，还可按反应式

$$2KAl_3Si_3O_{10}(OH)_2+2H^++3H_2O=3Al_2Si_2O_5(OH)_4+2K^+$$

形成高岭石。由此来看，研究区内前河和北岭这类含金蚀变岩，其强烈绢云母化和高岭石化与黄铁矿 $\delta^{34}S$ 变负的原因是一致的。都与氧逸度较高的地下水参与热液作用有关。在自然界中，与绢云母化有成因联系的黄铁矿的硫同位素为负值不是个别现象，北部上宫蚀变岩型金矿床中，主矿化阶段的黄铁矿的 $\delta^{34}S$ 值亦出现负值。因此，在熊耳山区大气降水（地表水）参与蚀变岩型金矿成矿作用可能具有普遍意义。

四、关于含矿热液的性质及热液中金沉淀的机理

含矿热液的性质，就硫同位素研究来看不能定论。这是因为研究区内与含金热液形成有关的地质体具有相似的硫同位素组成。如燕山期花岗岩与太华群变质岩及熊耳群火山岩的 $\delta^{34}S$ 值基本相同，均为小正值。由此来看，含金热液的形成，既可能与燕山期岩浆热液有关，亦可能与发育于变质岩及火山岩中的构造热液有关。

在本区内，由于金全都赋存于热液活动有关的地质体（石英脉、爆破角砾岩体及蚀变岩）中，所以认为，金是从有关的热液中沉淀出来的。Ken-ichiro 等人（1991）曾做过热液中金溶解度的试验，其结果表明：①金的溶解度与热液中 Cl^- 和 H^+ 的活度没多大关系。所以认为氯化物络合物不是主要的载金络合物。②金的溶解度随水溶 H_2S 活度的增大而增大，所以肯定金在热液中主要是以氢硫络合物的形式存在的。此氢硫络合物在 pH 值<5.5 时，为 $HAu(HS)_2^0$，在 pH 值更高的条件下为 $Au(HS)_2^{-1}$。这些成果与本项目近期的包体研究不谋而合。激光拉曼探针分析数据表明，一部分金矿石包体确实含有数量不等的 H_2S 包体。同时，更多的包体研究结果还表明，本区含金热液的盐度并不高。所以有理由认为，本区金在热液中主要是以氢硫络合物（$HAu(HS)_2^0$ 或 $Au(HS)_2^{-1}$）的形式存在。

除了金的氢硫络合物外，热液中还应含有一定数量的水溶 H_2S 和 SO_4^{2-}，特别是 H_2S。否则氢硫络合物就不会稳定。关于这种关系的化学反应式如下：

$$Au(HS)+2H_2S(Ag)=HAu(HS)_2^0+{}^1_2H_2(Ag)$$

从此式可以看出，热液中 H_2 活度的增高有利于金的沉淀，水溶 H_2S 的减少也有利于金的沉淀。在成矿过程中，黄铁矿的形成必然要消耗大量的 H_2S，从而可导致金的沉淀。同时，含矿热液如与贫 H_2S 的地下水相混合，则其 H_2S 的浓度必然变小，亦会导致金的沉淀。本区两类含金地质体（含金石英脉及含金蚀变岩）的形成大概即受控于这样的机制。

第二节　铅同位素

一、铅同位素组成

从本区铅同位素数据（见表 7-3）来看，有下述特点：

表 7-3　铅同位素特征值

| 编号 | 位置 | 测试对象 | 铅同位素比值 | | | Pb-Pb等时线年龄 (Ma) Doe | μ | ω | $^{232}Th/^{238}U$ | 资料来源 |
			$^{206}Pb/^{204}Pb$	$^{207}Pb/^{204}Pb$	$^{208}Pb/^{204}Pb$					
1	太华群	黑云斜长片麻岩	17.400	15.469	38.174	735.12	8.95	40.38	4.51	河南省地调一队 "熊耳山蚀变岩型金 矿"专题组及中科院 地质所范宏瑞论文
2		角闪斜长片麻岩	16.511	15.512	36.266	1 393.63	9.19	37.56	4.08	
3		黑云斜长片麻岩	17.353	15.492	42.558	794.10	9.00	61.59	6.84	
4		金云母角闪岩	169.968	15.359	37.775	1 082.68	9.09	42.04	4.62	
5		斜长角闪岩	17.609	15.547	37.654	674.16	9.07	37.42	9.13	
6		角闪斜长片麻岩	17.530	15.345	38.569	497.36	8.70	39.96	4.58	
7	熊耳群	大斑安山岩	16.907	15.421	36.346	1 031.50	8.92	34.33	3.85	
8		安山岩	16.647	15.300	36.876	1 217.71	8.98	38.87	4.33	
9		杏仁状安山岩	16.439	15.271	36.489	1 208.24	8.70	36.75	4.22	
10		蚀变安山岩	17.116	15.405	37.345	798.21	8.74	37.09	4.24	
11	康山金矿	黄铁矿	17.818	15.612	38.653	600.47	9.17	41.28	4.50	天津地矿所任住富根 "熊耳群金矿"专题 组
12		黄铁矿	17.762	15.547	38.447	565.95	9.06	40.04	4.42	
13		黄铁矿	17.740	15.439	38.241	455.23	8.86	38.16	4.31	
14		方铅矿	17.781	15.430	38.182	414.52	8.84	37.57	4.25	
15	北岭金矿	黄铁矿	16.686 8	15.350 2	36.938 0	1 113.42	8.82	38.10	4.32	
16		黄铁矿	16.736 5	15.272 6	36.889 7	996.07	8.66	36.71	4.24	
17		黄铁矿	16.528 8	15.175 0	36.464 0	1 041.38	8.49	35.01	4.12	
18		方铅矿	15.892 1	15.252 2	36.991 5	1 577.40	8.80	38.04	4.32	
19		钾长石	16.512 8	15.190 4	36.423 4	1 069.91	8.53	35.07	4.11	
20		黄铁矿	16.299 0	15.252 0	36.346 0	1 288.96	8.70	36.82	4.23	
21		黄铁矿	16.631 2	15.259 9	36.810 9	1 158.15	8.84	37.91	4.29	
22		钾长石	16.144 2	15.210 7	36.102 0	1 357.97	8.64	36.22	4.19	

续表 7-3

编号	位置	测试对象	铅同位素比值			Pb-Pb等时线年龄(Ma)Doe	μ	ω	$^{232}Th/^{238}U$	资料来源
			$^{206}Pb/^{204}Pb$	$^{207}Pb/^{204}Pb$	$^{208}Pb/^{204}Pb$					
23		黄铁矿	16.632 5	15.140 4	36.568 7	926.21	8.41	34.59	4.11	河南省地调一队"熊耳山蚀变岩型金矿"专题组 及中科院地质所范宏瑞端论文
24	高榉沟金矿	针硫银金矿	17.003 7	15.322 2	37.245 3	956.42	8.89	38.09	4.28	
25		黄铁矿	16.741 1	15.353 5	37.009 9	1 078.29	8.81	38.11	4.33	
26		钾长石	16.918 9	15.361 5	37.110 3	960.20	8.80	37.46	4.26	
27	北岭金矿	钾长石	16.138 9	15.045 5	35.771 0	1 191.00	8.31	32.82	3.95	
28		黄铁矿	17.160 2	15.377 4	37.559 7	805.14	8.80	38.16	4.34	
29	陈胡子金矿	黄铁矿	16.998 3	15.195 2	36.765 4	715.46	8.47	33.68	3.98	
30		方铅矿	17.222 9	15.437 9	37.684 5	826.71	8.91	38.96	4.37	
31		黄铁矿	17.201 7	15.371 1	37.495 9	767.83	8.78	37.52	4.27	
32		黄铁矿	17.156 2	15.356 8	37.485 4	784.90	8.76	37.63	4.30	
33	庙岭金矿	黄铁矿	16.650 5	15.352 8	37.298 8	1 141.45	8.83	40.25	4.56	
34		钾长石	17.491 4	15.304 9	38.053 1	477.06	8.63	37.52	4.35	
35	红庄	方铅矿	17.210 0	15.379 0	37.772 0	809.16	8.86	39.20	4.42	
36	前河	黄铁矿	17.157 0	15.359 0	37.306 0	786.80	8.76	36.80	4.20	
37		黄铁矿	17.032 7	15.406 6	37.715 6	927.72	8.87	40.10	4.52	
38		黄铁矿	17.014 3	15.380 8	37.667 7	1 913.277	8.83	39.72	4.50	天津地矿所任富根"熊耳群金矿"专题组
39	店房金矿	黄铁矿	16.931 4	15.395 9	37.744 4	988.24	8.87	40.86	4.61	
40		黄铁矿	17.015 1	15.203 1	37.321 0	712.20	8.48	36.22	4.27	
41		黄铁矿	17.313 8	15.466 2	38.052 9	793.53	8.95	40.38	4.51	

注: 表中数据采用下列参数:

$X_0=9.307$, $Y_0=10.294$, $Z_0=29.475$, $\lambda_1=0.155\ 125\times10^{-9}$ 年$^{-1}$, $\lambda_2=0.049\ 479\times10^{-9}$ 年$^{-1}$, $T=4.55\times10^{-9}$ 年$^{-1}$。

(1) 太华群变质岩的铅同位素组成变化大，明显存在放射成因铅。

(2) 熊耳群火山岩的铅同位素组成以变化小为特点，大致属于正常铅范围。

(3) 钾长石的铅同位素组成相对稳定。数值接近，属放射成因铅不高的异常铅。

(4) 不同类型矿石的铅同位素变化较为明显，尤以 $^{206}Pb/^{204}Pb$，$^{208}Pb/^{204}Pb$，变化较大。但其 $^{207}Pb/^{204}Pb$ 比值及 μ 值均在标准变化范围(据 E.R.Kanasecich，1973)之内。模式年龄未出现负值。表明矿石的铅同位素组成仍属正常铅范畴。只是受到了不同程度的地壳铅同位素的混合混染作用。

(5) 栾川茴椿沟 884 号构造蚀变带中所采针碲金矿的铅同位素组成(见表 7-3 中 24 号样)与北部上宫金矿床中含铅矿物基本一致而与本区部分钾长石和黄铁矿的铅同位素组成相差较大，反映它们之间存在某种差异。

二、物源分析

将表 7-3 所列样品投影到 $^{207}Pb/^{204}Pb \sim ^{206}Pb/^{204}Pb$ 坐标图上(见图 7-4)可清楚地看出：

(1) 太华群变质岩的主要投影点位于地幔铅与造山带铅平均演化线之间，说明变质岩的铅为幔壳混合铅源。

(2) 熊耳群安山岩投影点则位于地幔演化线两侧且靠近地幔演化线，表明火山岩铅基本上属于幔源岩。

(3) 各类金矿床矿石铅同位素组成其投点全部集中于地幔铅与下地壳铅范围内(见图 7-5)，μ 值为 8.41～9.17，均表明铅来源于上地幔和下地壳。但进一步研究发现，矿床类型不同，投点位置具有明显差异(见图 7-4)。一类为北岭、陈胡子沟、茴椿沟、红庄、前河等

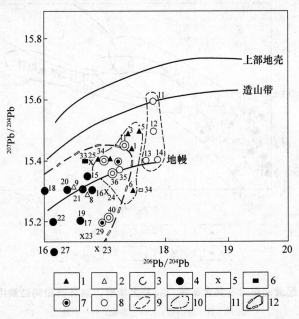

图 7-4 马超营断裂带岩石及金矿石铅同位素构造模式图(据 Doe 及 Zartma)

1—太华群变质岩；2—熊耳群火山岩；3—康山金矿；4—北岭金矿；5—茴椿沟金矿；

6—庙岭金矿；7—陈胡子沟金矿；8—红庄、前河、店房金矿；9—康山金矿矿样品投影范围；

10—太华群样品投影范围；11—熊耳群样品投影范围；12—北岭及其他样品投影范围

蚀变岩型金矿床，铅同位素组成以变化小为特点，投点均集中于地幔演化线及其附近，与熊耳群火山岩投点位置重叠，表明二者铅源关系密切。康山含金石英脉型金矿投点范围靠近太华群，表明二者铅源有一定的关系。

（4）据 μ 值及 ω 值统计研究表明，总体以变化小为特点，反映了本区金矿物源区钍铅（$^{232}Th / {}^{204}Pb$）及铀铅（$^{238}U / {}^{204}Pb$）具有一致的特点。

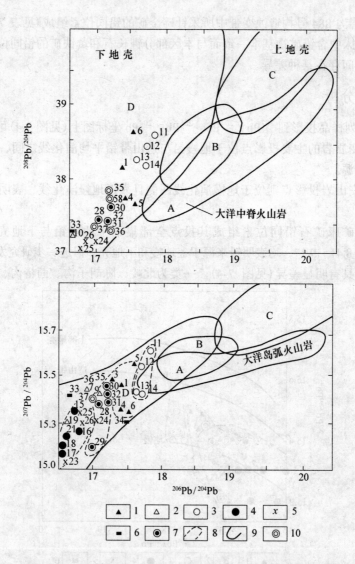

图 7-5 马超营断裂带有关金矿床（点）及太华群、熊耳群铅同位素组成坐标图

A—地幔；B—造山带；C—上地壳；D—下地壳；
1—太华群变质岩；2—熊耳群火山岩；3—康山金矿；4—北岭金矿；5—茴椿沟金矿；
6—庙岭金矿；7—陈胡子沟金矿；8—各金矿床及地质体分布范围；9—大地构造分区；
10—红庄、前河、店房金矿

第三节 金矿成矿流体包体及氢、氧同位素研究

据对本区含矿流体包体及氢、氧同位素研究结果证实：本区成矿流体为低盐度（<10wt%NaCl）的 CO_2–H_2O–NaCl 流体。CO_2 含量较低（<10mot%）主矿化温度为 150～260 ℃，成矿压力为 $(700～1\,000) \times 10^5$ Pa。氢、氧同位素组成表明，成矿流体的性质具有多源性，既有变质水，又有岩浆水，主矿化阶段有大气降水（雨水）参与。现分以下几个问题进行讨论。

一、成矿热液来源及演化

近年来利用包裹体水的氢氧同位素组成探讨成矿热液来源收到良好效果。关于马超营断裂带金矿床（点）成矿热液来源，本项目做了各矿床（点）含矿石英脉中流体包裹体的氢氧同位素测试工作，测试结果见表 7-4。

表 7-4 成矿热液氢氧同位素组成表

序号	样品号	矿物	成矿温度（℃）	$\delta^{18}O$（‰）	$\delta^{18}D_{H_2O}$（‰）	$\delta^{18}O_{H_2O}$（‰）
1	92-19	前河方铅矿矿石石英	260	13.7	−74.3	4.40
2	92-44	红庄多金属矿石石英	280	14.6	−66.1	6.95
3	FH-631	星星阴黄铁矿矿石石英	230	13.9	−73.2	3.9
4	FH-631	星星阴黄铁矿矿石石英	320	13.9	−62.1	7.9
5	FH-613	康山脉石英	230	13.1	72.2	3.1
6	FH-613	康山脉石英	320	13.1	−64.2	6.9
7	92-20	合峪花岗岩脉石英	350	11.2	−72.6	5.9
8	FH-611	熊耳群脉石英	410	9.1	−47.3	5.3

为了对比，更好地说明成矿热液来源，对燕山期合峪花岗岩体中脉石英和熊耳群中沿构造带分布的海西期脉石英的氢氧同位素也做了测试工作（见表 7-4）。本区各种含矿热液氢氧同位素组成 $\delta D～\delta^{18}O$ 演化关系见图 7-6。并将这些结果在 $\delta D～\delta^{18}O$ 图上进行投影。结果表明：

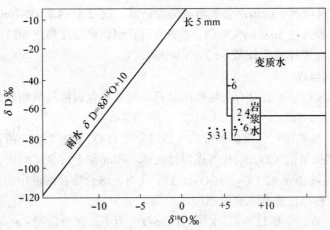

图 7-6 本区各种含矿热液氢氧同位素组成 $\delta D～\delta^{18}O$ 演化关系图

（注：图中样品点同表）

（1）合峪花岗岩体脉石英样品点（样品7）投在岩浆水范围。表明为岩浆期后的岩浆演化热液形成。

（2）熊耳群中沿马超营断裂带产出的海西期顺糜棱面理分布的脉石英样品点（样品8），落在变质水范围。由此表明，这类石英脉明显是由构造动力变质热液充填作用形成。

（3）几个金矿床（点）矿石石英的样品点，早期的（黄铁矿–石英阶段）落在岩浆水范围；主矿化期（石英–黄铁矿、方铅矿阶段）的样品落在岩浆水和雨水之间。

上述结果表明，马超营断裂带金矿床主成矿阶段的热液主要来自构造动力变质水，岩浆水和大气降水（雨水）的混合物。

二、成矿热液的物理化学性质

(一)成矿热液的温度、盐度

马超营断裂带上各金矿床成矿背景和矿化特征虽略有差异，但成矿作用大体上可划分为三个阶段：①黄铁矿–石英阶段，形成白色石英脉及黄铁矿，伴随的蚀变主要为硅化，钾化。②石英–硫化物阶段（主成金阶段），形成大量黄铁矿、黄铜矿、闪锌矿、方铅矿和石英网状细脉或含金蚀变岩体，伴随的蚀变为强烈的硅化、绢云母化、白云石化等。③碳酸盐化阶段，晚期形成方解石、白云石网状细脉。

各阶段成矿温度及成矿溶液的盐度，流体包裹体测定结果（见表7-5）表明：

（1）包体类型。本区金矿包裹体类型较少。只有 CO_2–H_2O 包裹体和水溶液包裹体两种。前者仅在康山—星星阴金矿床出现，在前河金矿床中偶见，数量很少，属于早期阶段矿物捕获的包裹体。呈负晶形，$(5\sim6)\mu$ 大小，随机分布。水溶液包裹体按其气液比不同可分为气液包裹体（气液比>10%）和液体包裹体（气液比<10%）。前者属主矿化阶段的包裹体；后者属晚期碳酸盐化阶段包裹体。

（2）均一温度。第一阶段矿物包裹体太小，一般 $(2\sim3)\mu$，均一温度未获数据。第二阶段（主矿化阶段）的均一温度为 257～310 ℃，以 260～270 ℃为主。又据中国地质大学杨巍然教授对狮子庙一带马超营断裂带中流体包裹体研究结果，包裹体为气液包比<5%液体包裹体，气体成分为 H_2O，均一温度为 90～196 ℃，平均 142 ℃。这与硫同位素平衡温度是一致的。

（3）盐度。本区各矿床（点）主矿化阶段成矿热液的盐度普遍较低，一般为 4.3～6.6 wt%NaCl。尤以东部前河、店房两金矿溶液盐度最低，仅 2.4～4.8 wt%NaCl。而中部红庄金矿床成矿溶液盐度较高达 16.2 wt%NaCl。老庙沟斑岩型钼矿盐度高达 40.1 wt%NaCl。熊耳群中海西期脉石英的包裹体盐度较低（<3.5% wt%NaCl）。

(二)成矿热液的组成

对本区各金矿床（点）矿石及有关地质体脉石英的流体包裹体气液相成分进行了分析，其结果见表7-6、见表7-7。

（1）气相成分：各矿床（点）成矿热液的气相成分以 H_2O、CO_2 为主，两者之和占气体总量的 99%以上。另有微量的 CO、CH_4 等还原性气体。与北部上宫金矿相比，本区成矿流体的 CO_2 含量显著偏低（<10 mol，CO_2 / H_2O<0.1），这对金络合物在溶液中的运移是不利的。这也可能是本区金矿石品位普遍不高的原因之一。

（2）液相成分：本区金矿以 Na^+、K^+、Cl^-、SO_4^{2-} 为主，含少量的 Ca^{2+}、Mg^{2+}、F^-，红庄金矿热液缺乏 F^-，与小秦岭及熊耳山北坡上宫等金矿相比，本区金矿成矿热液的 Na^+ 含量普遍偏低。

表 7-5 矿物包裹体特征

矿床	测定矿物	类型	形态	大小 (μ)	气液比 (%)	分布特征	成因	均一温度 (℃)	盐度 (wt%NaCl)
康山	条带状石英黄铁矿、蚀变岩型矿石英	CO_2-H_2O 包体 液体包体	负晶形 椭圆形	5~12 2~10	20~30 <10	包体数量少随机分布 定向分布	原生包裹体 次生包裹体	267~275 146~195	4.3~5.6
星星阴	条带状、块状石英黄铁矿、蚀变岩型矿石英	CO_2-H_2O 包体 液体包体	负晶形 椭圆形不规则状	4~8 2~6	20~40 5~10	包体数量少随机分布 定向分布	原生包裹体 次生包裹体	257~262 167~227	5.6~6.6
红庄	块状黄铁矿、方铅矿矿石英	气液包体 液体包体	椭圆形 椭圆形	3~14 2~8	15~20 <10	定向或随机分布 定向分布	次生包裹体 次生包裹体	262~315 216~225	13.5~16.2
南坪	方铅矿矿石英	液体包体	椭圆形、负晶形	3~10	5~10	定向分布	次生包裹体	172~190	8.7~9.2
前河	脉石英 方铅矿矿石英	气液包体 液体包体	椭圆形 椭圆形	4~8 2~10	20~30 5~10	随机分布 定向分布	原生包裹体 次生包裹体	276~286 166~174	3.0~3.5
店房	方铅矿矿石英	气液包体 液体包体	负晶形、椭圆形不规则状	5~8 3~10	20 <10	随机分布 定向分布	原生包裹体 次生包裹体	298~310 139~150	2.6~4.8
老庙沟钼矿	含黄铁矿脉石英	多相包体（含盐子晶） 气液体包体	负晶形 负晶形、椭圆形	8~10 6~12	10~15 40~50	随机分布 定向分布	原生包裹体 次生包裹体	300~332（石盐子晶消失温度270℃）379~486 失晶温度280℃	38~40.1
前河合峪岩体石英脉	脉石英	CO_2-H_2O 包体 气液包体 液体包体	负晶形、椭圆形 椭圆形	10~20 6~14 3~12	20~30 20 <10	随机分布或随机分布 定向分布	原生包裹体 次生包裹体	276~295 230~287 178~197	8.4~7.4 4.3
熊耳群脉石英	脉石英	气液包体 液体包体	负晶形、椭圆形 椭圆形	6~15 3~8	20~25 <10	随机分布 定向分布	原生包裹体 次生包裹体	271~301 212~246	2.8~3.4

表 7-6 成矿热液的气相成分

样品编号	样品名称	包裹体取样温度 (℃)	气体成分 (以摩尔百分数表示)				气体总量 ($\times 10^{-6}$ mol / g)	CO_2 / H_2O
			H_2O	CO_2	CH_4	CO		
92-66	康山金矿	100～280	95.52	4.48	0.00	0.12	16.33	0.05
	黄铁矿脉石英	280～500	93.34	6.63	0.00	0.03	37.82	0.07
92-43	红庄金矿	100～260	99.95	0.05	0.00	0.00	5.73	0.001
	黄铁矿脉石英	260～500	98.83	1.10	0.01	0.06	27.59	0.01
92-1	前河金矿	100～260	99.41	0.59	0.00	0.00	9.26	0.01
	黄铁矿脉石英	260～500	90.08	9.80	0.00	0.12	21.87	0.11
92-20	合峪岩体脉石英	100～500	91.54	8.14	0.02	0.22	25.07	0.00
92-40	熊耳石英脉	100～500	96.01	3.67	0.03	0.03	21.00	0.04
92-46	太华群脉石英	100～500	98.27	1.51	0.04	0.09	26.57	0.02

表 7-7 成矿热液的液相成分

	样品编号	样品名称	产状	离子成分(μg / g)						
				K^+	Na^+	Ca^{2+}	Mg^{2+}	F^-	Cl^-	SO_4^{2-}
1	92-19	石英	前河方铅矿矿石	2.13	2.19	0.99	0.10	0.03	2.08	3.771
2	92-43	石英	红庄多金属矿石	2.66	7.36	1.00	0.10	0.00	1.63	2.81
3	92-55	石英	星星阴黄铁矿矿石	2.04	2.33	0.20	0.08	0.10	1.39	3.63
4	92-66	石英	康山黄铁矿石英脉	1.64	1.95	0.17	0.09	0.03	1.63	2.81
5	92-20	石英	合峪岩体石英脉	3.99	5.25	0.00	0.00	0.10	5.15	6.70
6	92-40	石英	熊耳群石英脉	5.27	23.53	0.10	0.00	0.00	35.24	16.23
7	92-46	石英	太华群石英脉	1.68	18.84	1.71	0.00	0.00	28.68	7.05

(三)金矿成矿的其他物理化学条件

(1)压力：根据气液包裹体的均一温度、密度和爆裂温度数据，在相应的等容等密相图上求出本区金矿主矿化阶段成矿压力(Roedder,1980)：前河 700×10^5 Pa,红庄 $1\,000 \times 10^5$ Pa,康山 800×10^5 Pa。

(2)氧逸度(fo_2)：据表 7-6 所列包裹体气相成分数据，在李秉伦等(1986)的矿物中包裹体成分的物理化学参数图解上求出本区金矿成矿的氧逸度如表 7-8。

表 7-8 主要金矿床成矿氧逸度数值表

矿床	早阶段 fo_2($\times 10^5$ Pa)	主矿化阶段 fo_2($\times 10^5$ Pa)
前河金矿	−20	−35
红庄金矿	−27	−38
康山金矿	−26	−32.5

表 7-8 所列数据表明，本区金矿成矿时是在比较强的还原条件下进行的。

(3)pH 值：成矿流体 pH 值大小及变化对热液体系中的各种化学反应和矿质沉淀影响很大。因此，合理地估算溶液的 pH 值十分重要。

本区成矿热液的 pH 值是根据以下方法求得的。即根据与矿化关系密切的蚀变(黄铁绢英岩化)的交代反应式计算：

$$3K(AlSi_3O_8)+2H^+ \rightarrow KAl_2(AlSi_3O_{10})(OH)_2+6SiO_2+2K^+$$

钾长石　　　　　　绢云母　　　　　石英

根据热力关系，上式得

$$\text{pH 值}=\frac{1}{2}lgK-LaaK^+=\frac{1}{2}lgK-lgmK^+-lgrK^+$$

式中：K 为反应平衡常数；mK^+为 K^+离子摩尔浓度；rK^+为活度系数。离子摩尔浓度可从包裹体的气液相成分求出，活度系数和反应平衡常数可从 Helegeson(1979)的文章中查出。本区成矿 pH 值见表 7-9。

纯水中性点 pH 值随温度而变化，根据 Helegeson(1979)文中所载，250 ℃及 300 ℃时，纯水中性 pH 值分别为 5.57、5.39，据此对比：本区成矿热液在早期阶段为弱碱性；至主矿化阶段则演化为弱酸性。前者有利于金络合物$(HAu(HS)_2)$迁移；后者有利于金络合物分解沉淀成矿。

表 7-9　各矿床不同矿化阶段的 pH 值

矿床	前河	红庄	康山
早期矿化阶段	6.45	5.57	6.09
主矿化阶段	5.30	5.16	5.34

第八章 矿床成因及成矿模式

第一节 矿床成因

一、成矿物质来源

成矿物质来源是成矿理论研究中的一个基本问题。熊耳山地区金矿物质来源,众说不一,颇有争议。有的认为主要来自太华岩群或熊耳群,也有认为两者兼之而提出"双层矿源层"。位于熊耳山南缘马超营断裂带的金矿物质来源,也有上述不同观点。从成矿地质条件分析中可知,马超营断裂带是一长期活动的构造带,它切割了不同时代的地质体,成矿物质不仅来自地幔还取决于断裂破碎带两侧热液影响范围内的所有岩石,而并非与单一地质体存在必然联系。所以我们认为马超营断裂带金矿的成矿物质是多来源的。

(一)金矿物质来自上地幔

从金在地球各个层圈中的分布情况看,金具有深源性(地壳 3.5×10^{-9},地幔 5×10^{-9},地核 $2\,600 \times 10^{-9}$)。王鹤年将我国金矿床的金质来源归结为幔源、壳源和混合源三类;胡伦积认为,地壳演化阶段金集中于地核和地壳幔,中上地幔是地壳中金矿床成矿物质的主要来源。

马超营断裂带在海西—印支期为大型伸层构造,在地幔上隆,地壳伸展变薄的机制下,造成地幔部分熔融产物富碱岩浆顺断裂上升,并携带深部的金进入地壳。马超营断裂带分布的正长岩脉与伸展滑脱剪切构造相伴,而且发现金矿体即产在正长岩脉边缘(个别在脉体内)。在嵩县西南部黄庄乡一带的碱性岩(正长岩)体外接触带也发现有金矿化(拣块样分析结果含金量 $1.5\,g/t$,在某些黄铁矿化富集地段含金量达 $3\,g/t$,张正伟等,1992)。可见金矿化与碱性岩有成因联系,参与成矿的金主要来自上地幔。

(二)金矿物质来自基底太华岩群

太华岩群属一套变质火山-沉积建造(花岗-绿岩地体)。太古宙基性火山喷发形成的岩石当然具有地幔富金的特征,因而使太华岩群成为地壳中的富金地质体。太华岩群提供金的成矿物质的关键是岩石中存在"易释放金"。凯斯(Keays,1976)通过对大洋玄武岩的研究,提出"易释放金"和"不易释放金"的概念。"易释放金"即赋存于硫化物之中或造岩矿物颗粒之间的金,它在地质作用过程中可以从岩石中释放出来。据单矿物含金性研究,黄铁矿是金的主要载体矿物,小秦岭太华岩群斜长角闪岩中单矿物含金量黄铁矿 30.20×10^{-9}、角闪石 7.72×10^{-9}、斜长石 1.30×10^{-9}、黑云母 2.00×10^{-9}、石英 2.80×10^{-9}(胡志宏)。这说明太华岩群的金主要赋存在硫化物中,且是"易释放金"。

研究区金矿床(点)主要分布于断裂带及其北侧的基底太华岩群及盖层熊耳群中,金矿床(点)分布的这种地域性,反映了金矿成矿与太华岩群有着密切的关系。

据稳定同位素研究,产于不同地层中金矿床的大多数矿石铅同位素组成相对稳定,太华岩群变质岩的铅同位素组成变化大,明显存在放射成因铅,属异常铅。在 Doe 和 Zartman(1979)的构造模式图上,矿石铅、太华岩群变质岩的铅同位素投点分别集中于地幔铅与造山带铅平均演化线之间及其附近,源区特征 μ 值为 $8.41 \sim 9.17$,这种特点表明,矿石、太华岩群的铅为幔、壳混合铅，而且来自古老克拉通基底太华岩群。据硫同位素提供的信息，太华岩群变质岩的 $\delta^{34}S$ 值为 3‰，含金石英脉型矿石的 $\delta^{34}S$ 值也为小的正值，具有以深源为主的壳幔混合源硫同位素组成特征，应是来自太华岩群。

综上所述，成矿物质 Au、Pb、S 等是来自太华岩群矿源岩。

(三)部分金矿物质来自熊耳群火山岩

熊耳群是区内重要的赋含金矿的层位，有众多金矿床(点)产于熊耳群火山岩中。据铅同位素研究，熊耳群火山岩中的铅基本来源于上地幔。矿石铅同位素组成与熊耳群火山岩系铅同位素组成相似，主要来源于上地幔(部分来自下地壳)。

基于熊耳群火山岩是来源于地幔及下地壳，在火山喷发时，伴随火山喷发可携带部分深源金进入火山岩系中，致使熊耳群成为豫西第二个富金岩系。在后期韧性剪切和成矿过程中，由于热液作用，从火山岩中萃取部分金、铅等成矿物质进入流体，在构造有利局部地段富集成矿。由于铅与金在热液中的行为是一致的，且具有成矿演化的一致性(铅同位素为金的典型示踪元素)。据此判断铅金可能来自同一物源，即熊耳群火山岩。矿体硫与熊耳群安山岩硫同位素组成也很接近。表明为同一硫源，具深源硫特征。

二、矿质的活化、迁移和聚集

本区金矿成矿物质具多源性，而且矿质的活化、迁移和聚集及成矿作用也具多期性。

(一)成岩期

即太华岩群、熊耳群的成岩作用形成金在其中的原始堆积。

(二)变质作用期

伴随嵩阳运动的区域变质作用，Au^+ 和 Au^{3+} 可形成卤素和硫的络合物而迁移，这时部分金虽被活化迁移，但此时金在高温条件下只是在岩石中比较均匀地分布，且在中压高温条件下，岩石塑性较强，应力条件比较均匀，形成储矿空间的可能性较小，因而难于形成金矿床。变质作用期虽没有形成金矿床，但强烈的变质作用促使太华岩群中的金活化，有些金可以从矿物颗粒内部转移到边部，有些金可能转入间隙热液，为后期金进一步活化迁移和形成金矿打下基础。

(三)海西—印支期伸展滑脱作用下矿质的活化迁移和聚集

海西—印支期发育的马超营韧性-韧脆性剪切带切割官道口群、熊耳群和基底太华岩群，在地壳较深层次中，变形以塑性流变为特征，强烈的变形变质作用使基底太华岩群绿岩地体中地球化学活泼性较强的元素(Au、Pb、Zn 等)发生活化，向剪切带迁移。由于地热梯度的影响，在剪切带内发生对流循环并向上迁移。此时含矿热液处于强还原条件，K^+、Na^+、Cl^-、SO_4^{2-} 含量高，并含有 H_2O 和 CO_2，金主要以 $[AuCl_2]^-$、$[AuS_2]^-$、$[AuCl_4]^-$ 形式存在，许多资料都表明，在高温下 $[AuCl_2]^-$ 是具较高的溶解度。所以在韧性变形期金以 $[AuCl_2]^-$ 形式溶解迁移。韧脆性变形期，碎裂作用形成的裂隙改变了温度、压力等物理条件，随着温度、压力的降低(270 ℃左右，$(700\sim800)\times10^5$ Pa)，成矿热液中 K^+、Na^+、Cl^-、SO_4^{2-} 含量相对降低，Ca^{2+}、Mg^{2+}、F^- 和 CO_2 相对升高。在较还原环境(氧化电位低或 T_{O_2} 低)的条件下，含矿热液呈现弱碱性(包括中碱性 pH 值)，此时金主要呈硫金络合物 $[AuS]^-$、$[AuS_2]^-$ 或氢硫络合物 $[HAu(HS)_2]$、$[Au(HS)_2]^-$ 形式被溶解搬运，并使金的浓度增大。由于下渗的大气降水长期提供的流体介质可参与沿剪切带活动流体的对流循环，贯入构造破碎空间，引起温度压力再次下降，热液演化为弱碱—弱酸性，使金络合物分解沉淀富集成矿。

含矿热液中金的氢硫络合物由于有 H_2S 和 SO^{2-}_4 存在而稳定，否则就不稳定。在韧脆性剪切带中由于下渗大气水的参与，使热液中 H_2 活度增高有利于金的沉淀。前河、北岭金矿区与金矿化密切的绢云母化，即在雨水参与下形成的。另外在成矿过程中，由于黄铁矿的形成要消耗大量的 H_2S，热液中 H_2S 的减少也导致金的沉淀。所以，区内构造蚀变岩型金矿床之矿(脉)体，都产在韧脆性剪切带及胶结型脆性断层中，且金矿化与黄铁矿化相伴。

(四)燕山期逆冲推覆(A型俯冲)作用下矿质的活化、迁移和聚集

在推覆(A型俯冲)机制下，由于地热梯度和高热流环境的影响，俯冲体中不稳定组分，依熔点降低的顺序发生熔融迁移，如温度在 50～200 ℃ 范围内，Hg、Sb、Ag、Au、Pb、Zn 等元素活化向上迁移。在迁移过程中，又不断发生交代作用，致使岩层中矿质及早成矿体矿质活化，形成新的含矿流体，金呈 $[Au(HS)_2]^-$ 被迁移，在构造有利部位聚集，随着温度压力降低和热液性质的改变使金发生沉淀。

在 A 型俯冲机制下形成的重熔花岗岩，演化到后期，由于结晶分异作用，可提供部分热液和挥发分气体，其上侵能力强，沿构造裂隙向上运移到地表浅部时，因温度、压力降低，热液产生沸腾。在深部高温下，由于含较多还原硫，金在其中主要呈 $[AuS_2]^-$ 的形式溶解搬运，在沸腾过程中由于有 H_2S 等气体的存在，金呈 $[Au(HS)_2]^-$ 稳定地存在于液相中并随沸腾流体迁移。在近地表，由于冷凝和圈闭作用，使气体聚集，当内压力超过圈闭层的某部(构造薄弱带)强度时，就会发生爆破形成爆破角砾岩。伴随爆破大量酸性气体被逸出，使热液的 pH 值升高，当热液沿裂隙充填时，温度压力进一步降低，可使矿质发生沉淀，同时由于富氧地下水的作用和黄铁矿的沉淀，也促使 $[Au(HS)_2]^-$ 络合物氧化和沉淀，形成爆破角砾岩型金矿。由于沸腾流体在地表浅部聚集，成矿作用也发生在浅部。所以矿体均集中于浅部，店房金矿 Au/Ag 值小，矿体集中于浅部，深部无矿正是这个道理。

三、矿床成因类型

马超营断裂带的金矿，除白土—狮子庙有零星砂金外基本全为内生热液金矿床。

通过对马超营断裂带地质特征、地球化学特征、成矿条件研究和物理化学条件、矿质来源的分析等，依据成矿作用不同，并结合成矿岩石、矿物共生组合特征以及工业利用情况，将区内已知具工业意义的金矿床(包括铅、银矿床)分为两大类、四个亚类。

I.与韧性剪切带有关的中低温热液金、铅(银)矿床

I₁.产于断裂带内的中低温热液充填交代构造蚀变岩型金矿床

I₂.产于断裂带内的中低温热液充填含金石英脉型金矿

I₃.产于碳酸盐中的中低温热液充填交代型铅(银)矿床

II.与改造型花岗岩相关的中低温热液金矿床

II₁.产于爆破角砾岩体中的中低温热液爆破角砾岩型金矿床

四、成矿时代

关于成矿时代,不同观点有不同的结论:认为金矿主要由燕山期重熔岩浆热液成矿者,成矿时代定为燕山期;认为金矿与熊耳群火山热液有关者,成矿时代定为熊耳期。

通过我们的工作,认为马超营断裂带及其北侧金矿的形成主要有两期:早期为海西—印支期,是金、银、铅的主成矿期;另一期为燕山期,主要是叠加改造了早期矿床。其依据如下:

(1)从地层接触关系及断裂切割关系分析，与金矿成矿作用有关的伸展构造发生在海西—印支期。

(2)金矿主要由伸展滑脱剪切动力变质热液成矿(并有部分深成碱性岩浆热液)，它是区内金矿的主成矿期。伴随伸展构造侵入的矿化正长岩脉年龄为 318 Ma(全岩 Rb–Sr 法)，时代属海西期(嵩县南部 1∶5 万区调，1990)。

(3)金矿化与钾化关系密切，庙岭金矿钾长石铅模式年龄为 203 Ma(任富根，1993)，时代属印支期。

(4)位于熊耳山北坡的上宫构造蚀变岩型金矿，成矿受韧性–韧脆性剪切带控制，近矿强蚀变岩–绢云母铁白云石安山岩年龄为 242 Ma(全岩 Rb–Sr 法)，时代属海西期。河南地矿局地调一队三分队将该年龄解释为"是早期的蚀变年龄，可能受原岩熊耳群物质影响偏高"。我们认为这正是海西期曾有一次成矿作用的佐证。

(5)据研究，与成矿有关的马超营断裂带在中生代叠加了以 A 型俯冲为机制的推覆构造，在俯冲机制下形成的合峪二长花岗岩年龄为 100～112 Ma 左右，为燕山期。与花岗岩有成因联系的爆破角砾岩型金矿床，成矿时代也应为燕山期。

第二节 成矿机理及成矿模式

一、控矿机制和成矿机理

(1)海西—印支期在伸展构造作用下，马超营断裂带下盘形成规模巨大的韧性剪切带，这是地壳深处较高温压条件下形成的高温应变带，由于压力梯度的差异，含矿变质热液向剪切带运移，在地热系统的影响下，发生对流循环向上迁移，由于韧性剪切带变形变质时温压较高，尽管存在有含金流体与围岩的相互作用，但并不具备金的沉淀环境，此时金处在活化状态向上部韧–脆性剪切带运移。因此，金在韧性剪切带中虽有富集，但丰度值仍较低，它只构成了金矿床的成矿构造背景或成矿背景岩石，控制着金矿床的分布。

(2)在伸展构造演化过程中，随着杂岩核长期抬升和构造剥离作用，活动剪切带或新生剪切带不断向下切割，使控矿剪切断裂各深度层次形成产物有序叠加，韧脆性变形叠加在韧性变形之上，碎裂作用形成的扩容空间为含矿热液的充填交代提供了最佳的场所，为金矿体的形成提供了有利的构造条件，在封闭条件差的大型剪切带中形成规模大的含金蚀变岩带或贫矿体，而封闭条件比较好的次级剪切带内常形成较富的工业矿体。目前，沿马超营断裂带发现的金、铅、银工业矿体主要产出于韧脆性断裂带中。

(3)在剥离断层演化过程中，上盘必然产生以脆性变形为主的断裂系统，这一构造系统多具有张裂及扭性特征，脆性破碎体系加之异常地热梯度为地下水的深循环及含矿流体的向上运移提供了通道，从而使上盘形成了一个与大气降水体系相连通且具氧化环境的循环系统，当地壳深部具还原环境的含矿流体向上运移达氧化还原界面时，由于两循环系统流体混合，流体性质的改变和温压的降低，从而使金不断沉淀、富集形成工业矿体，所以说马超营主断裂上盘是最有利的成矿地带，目前发现的与马超营断裂构造有关的金矿床(点)，多分布在它的上盘。

(4)由于构造剥离导致地壳变薄开裂，引起幔源碱性(正长岩)岩浆沿断裂带上侵，并携带深部的金，为成矿提供了物源。断裂带及南侧分布的正长岩脉，就是深源物质不断被拆离达地表的佐证。

（5）燕山期东秦岭发生陆内碰撞造山运动在南北向挤压应力作用下，沿马超营断裂形成了以挤压为特征的自北向南的逆冲推覆构造，这一逆冲推覆断面即断承了海西—印支期伸展滑脱剪切构造。由于不同时期不同性质构造的多期叠加，使构造进一步复杂化。

在逆冲推覆构造作用下，由于受地热梯度的高热环境的影响，使俯冲体中不稳定组分活化转移出来，形成热水流体或含矿热液，在上升对流过程中，不断发生交代、熔化和溶解作用，致使上盘岩层成矿物质发生活化转移。加之推覆构造带上盘进一步被复杂化了的脆性破裂构造体系，为下渗大气降水和地下热水循环提供了条件，并使金元素在运移中聚集，随着物理化学条件的改变发生沉淀。此期成矿作用使早成矿体加富，改造或形成新的矿（脉）体，新生矿（脉）体主要分布于推覆构造诱发的次级断裂中。

在推覆机制下，一般由推覆构造前缘带—根部带，成矿温度由低—高，相应矿化组合也由低温 Hg、Sb、As 矿化组合→Pb、Ag、Au→W、Mo、Sn 中低—高温矿化组合。在马超营断裂带出现高温 W、Mo、Sn 与中低温 Pb、Ag、Au 两种组合，这一特征，是栾川、马超营两大断裂在燕山期产生的叠瓦状构造，根部带高温矿化组合与前缘带中低温矿化组合叠加的结果。

二、成矿模式

研究区金矿的成生与海西—印支期伸展滑脱构造活动和燕山期推覆构造活动密切相关，我们有理由建立一个马超营断裂带构造成矿综合模式（见表 8-1、图 8-1）。

表 8-1 马超营断裂带金矿成矿模式

时限	>2 600 Ma	2 500 Ma	1 800～1 700 Ma	410～195 Ma	195～80 Ma
	太古代早～中期	太古代末期	元古代中期	上古生代～中生代早期	中生代早期～中期
地质事件	超基性—基性火山喷发—沉积	伴随嵩阳运动区域变质至变质地层褶皱花岗岩化	三叉裂谷形成中基性—酸性火山岩喷发	地壳伸展、变质核杂岩和剥离断层系形成。动力热变质，韧性变形向韧脆性转化，扩容带形成，基底不断抬升，形成有序叠加。碱性岩脉侵入	大陆碰撞造山，逆冲推覆断裂体系形成，动力热变质、重熔花岗岩及爆破角砾岩体形成
金的演化	形成原始富金岩系—矿源岩	金活化迁移但仍呈分散状态	形成第二个富金岩系	金活化，向剪切带运移，在构造热动力驱动下，向上部韧脆性变形（扩容）带迁移聚集，多次叠加富集成矿	1.金再次活化迁移使早成矿体被改造、加富 2.金由俯冲地体活化向上迁移在次级构造带中聚集沉淀成矿

模式图 8-1 中：

（1）太华岩群矿源岩（层）形成后，早元古代末期（1 800～1 700 Ma），在地幔上隆地壳产生引张机制下导致大规模火山喷发，并有部分幔源金等微量元素进入火山岩系中，形成熊耳群火山岩富金岩系。

（2）海西—印支期（410～195 Ma），由于地幔上隆，地壳引张，沿古马超营断裂带自南而北产生伸展滑脱剪切，矿源层中矿质活化向剪切带运移，同时对流循环向上运移，随着温压降低，热液性质改变，金发生沉淀，经多次叠加富集成矿。此期深源(正长岩)岩浆上侵也为成矿提供了物质基础。

(3)燕山期(195～80 Ma)陆内碰撞造山，形成由北向南的逆冲推覆构造体系，与推覆构造有关的热液活动使早成矿体加富、改造，或在次级构造带中聚集、沉淀成矿；与岩浆活动有关的含矿热液形成爆破角砾岩型金矿。

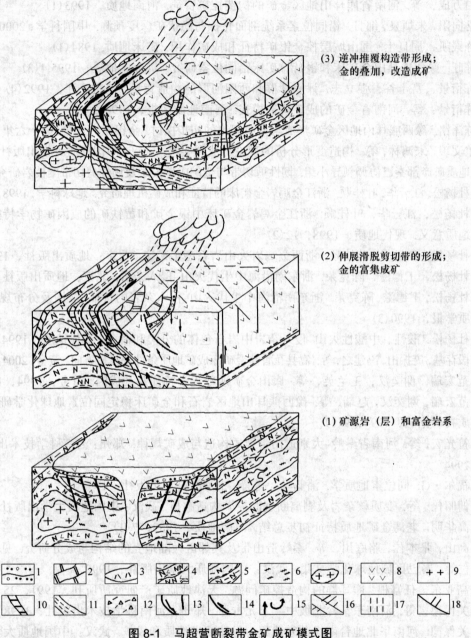

(3) 逆冲推覆构造带形成；
金的叠加，改造成矿

(2) 伸展滑脱剪切带的形成；
金的富集成矿

(1) 矿源岩（层）和富金岩系

图 8-1 马超营断裂带金矿成矿模式图

1—砂砾岩；2—结晶白云岩、大理岩；3—超镁铁质岩；4—角闪斜长片麻岩；5—黑云斜长片麻岩；
6—混合岩；7—混合花岗岩；8—熊耳群火山岩；9—重熔花岗岩；10—正长岩(脉)；11—韧性剪切带；
12—构造破碎带；13—伸展滑脱剪切带；14—逆冲推覆构造带；15—含矿热液运移、循环方式；
16—次级韧脆性、脆性剪切带；17—大气降水；18—矿体

参 考 文 献

1　G.A.Davis，郑亚东. 变质核杂岩的定义、类型及构造背景. 地质通报，2002,21(4)

2　白万成，等. 河南省熊耳山地区金矿的构造控矿特征. 河南地质，1993(1)

3　常向阳，朱炳泉，邹日. 铅同位素系统剖面化探与隐伏矿深度预测. 中国科学，2000,30(1)

4　陈殿凯，周旦生. 围山城层控金银矿特征和成矿作用. 矿床地质，1984(1)

5　陈旺. 豫西熊耳山金矿床和银(铅)矿床铅同位素研究. 贵金属地质，1995,4(3)

6　陈衍景，富士谷，强立志. 评熊耳群和西阳河群的构造背景. 地质论评，1992(4)

7　陈衍景，等. 河南省金矿的成矿构造模式. 河南地质情报，1990(2)

8　陈泽铭. 豫西熊耳山地区金矿形成与分布规律的初步探讨. 金银矿产选集(第十六集)，1991

9　单文琅，宋鸿林，等. 构造变形分析的理论方法和实践. 武汉：中国地质大学出版社，1991

10　地质矿产部秦巴协调领导小组. 韧性剪切带与金矿成矿关系及韧性剪切带糜棱岩研究. 1989

11　杜杨松，江云华，叶桂顺. 浙江金鸡岩金矿床的特征和成矿机理研究. 地球科学，1998,23(3)

12　杜杨松，江云华，叶桂顺. 浙江金鸡岩金矿床中银金矿和黄铁矿的成因矿物学特征及其地质意义. 现代地质，1998，12(2)

13　杜杨松，江云华，叶桂顺. 浙西金鸡岩火山岩系型金矿床. 北京：地质出版社，1999

14　杜杨松，王德滋，陈克荣. 浙东南沿海中生代火山-侵入杂岩. 北京：地质出版社，1989

15　杜杨松，王德滋，陈克荣. 浙东南沿海中生代火山-侵入杂岩的特征、成因及分布规律. 地质学报，1990(3)

16　杜杨松. 酸性、中酸性火山-侵入杂岩中岩石包体的分类和命名. 现代地质，1994，8(2)

17　段存基，庞振山，冯建之，等. 嵩县萑香洼金矿床成矿地质条件及找矿方向. 黄金，2004，25(8)

18　范宏瑞，谢奕汉，王兰英，等. 康山金矿地球化学特征及其成因. 黄金，1994，15(3)

19　范宏瑞，谢奕汉，赵瑞，等. 豫西熊耳山地区岩石和金矿床稳定同位素地球化学研究. 地质找矿论丛，1994，9(1)

20　符光宏，等. 河南省秦岭-大别造山带地质构造与成矿规律. 郑州：河南科学技术出版社，1994

21　福尔·G. 同位素地质学. 潘曙兰，等译. 北京：科学出版社，1993

22　傅昭仁，等. 变质核杂岩及剥离断层的控矿构造解析. 武汉：中国地质大学出版社，1992

23　高华明. 老湾金矿地质特征初步总结. 河南地质，1989，7(1)

24　高山，张本仁，骆庭川，等. 秦岭造山带及其邻区大陆地壳的结构与成分研究. 见：张本仁等. 秦巴区域地球化学文集. 武汉：中国地质大学出版社，1990

25　高亚东，任富根. 熊耳群的构造控矿问题. 天津地质矿产研究所所刊，1991，25

26　关保德，等. 河南东秦岭北坡中—上元古界. 郑州：河南科学技术出版社，1998

27　关保德. 河南华北地台南缘前寒武纪—早寒武世地质和成矿. 武汉：中国地质大学出版社，1996

28　关保德. 前寒武纪地层层序. 见：关保德，等. 河南华北地台南缘前寒武纪—早寒武世地质和成矿. 武汉：中国地质大学出版社，1996

29　郭抗衡. 华北板块南缘区域成矿模式及金矿地质基本特征. 河南地质，1984，12(2)

30 韩吟文，马振东，张宏飞，等. 地球化学. 北京：地质出版社. 2003

31 河南省地质矿产局. 河南省区域地质志. 北京：地质出版社，1989

32 河南省地质矿产厅. 河南省岩石地层. 武汉：中国地质大学出版社，1997

33 胡受奚，林潜龙，等. 华北与华南古板块拼合带地质和成矿. 南京：南京大学出版社，1988

34 黄任远，乔怀栋. 汝阳南部铅锌矿控矿地质条件及成矿机制初控. 河南地质，1992，10(2)

35 金昕，任光辉，曾建华，等. 东秦岭造山带岩石圈热结构及断面模型. 中国科学(D辑)，1996，26(增刊)

36 黎世美，瞿伦全，苏振邦，等. 小秦岭金矿地质和成矿预测. 北京：地质出版社，1996

37 李立，杨辟元，段波，等. 东秦岭岩石层的地电模型. 地球物理学报，1998，41(2)

38 李文勇，夏斌，路文芬. 东秦岭的地球物理、构造分带特征及演化. 地质与勘探，2004，40(1)

39 李雄. 陕西熊耳群火山岩系特征. 陕西地质，1994，12(2)

40 李增慧，高亚东，等. 华北地台南缘熊耳群火山岩系地球化学特征和形成环境. 天津地质矿产研究所所刊，1991，25

41 梁文艺，孙继东，姜修道，等. 活动剪切带的有序叠加与金矿的形成. 西安：西北大学出版社，1993

42 林潜龙. 河南省板块构造概述. 河南地质，1989，7(4)

43 刘国惠，张寿广，游振东，等. 秦岭造山带主要变质岩群及变质演化. 北京：地质出版社，1993

44 刘红樱，周顺之，胡受奚. 熊耳群及其金成矿背景研究中存在的几个问题. 地质找矿论丛，1996，12

45 卢建波，王明卫. 河南省栾川县康山金矿田成矿地质特征. 沈阳黄金学院学报，1997，16(3)

46 卢欣祥. 秦岭花岗岩揭示的造山过程——秦岭花岗岩研究进展. 地球科学进展，1998，13(2)

47 栾世伟. 小秦岭金矿主要控矿因素及成矿模式. 地质找矿论丛，1990(4)

48 罗铭玖，张辅明，董群英，等. 中国钼矿床. 郑州：河南学科技术出版社，1988

49 罗铭玖，等. 中国钼矿床. 郑州：河南科技出版社，1992

50 马杏垣，等. 中国前寒武纪构造格架及研究方法. 北京：地质出版社，1987

51 梅燕雄，朱裕生，叶锦华. 中国超大型矿床的若干统计特征. 地球学报，1997，18(4)

52 庞振山，梁天佑，张会中. 陕县放牛山石英岩系层序及时代归属. 河南地质，2000，18(1)

53 庞振山，梁天佑，肖中军. 嵩山太古宙花岗–绿岩地体的地质特征. 河南地质，2000，18(1)

54 庞振山，梁天佑. 嵩山地区太古代变质花岗岩. 河南地质，1997，15(4)

55 庞振山，徐文超，周奇明，等. 河南省花山–合峪地区化探异常特征及找矿前景. 矿产与地质，2004，18(4)

56 庞振山，徐文超，周奇明，等. 熊耳山地区太古代超镁铁质岩的地球化学特征及成因探讨. 矿产与地质，2002，16(9)

57 庞振山，燕建设. 华北陆块南缘中元古宙熊耳期次火山岩地质地球化学特征. 地质调查与研究，2004，16(4)

58 乔怀栋，刘长命，董有，等. 初步探讨东秦岭地区与小岩体有关矿床的成矿模式. 河南地质，1983，1(1)

59 乔怀栋，等. 豫西熊耳群火山岩金矿物质来源初探. 河南地质，1988(2)

60 任富根，丁士应，等. 豫西元古宙盆岭构造及其形成机制. 中国区域地质，1996(3)

61 任富根，李惠民，等. 熊耳群火山岩系上限年龄及其地质意义. 前寒武纪研究进展，2000，23(3)

62 任富根，李惠民，等. 豫西地区熊耳群的地质年代学研究. 前寒武纪研究进展，2002，25(1)

63 任富根，李维明，等. 熊耳山—崤山地区金矿成矿地质条件和找矿综合评价模型. 北京：地质出版社，1996

64 山西省地质矿产局. 山西省区域地质志. 北京：地质出版社，1989

65 陕西省地质矿产局. 陕西省区域地质志. 北京：地质出版社，1989

66 尚均瑞，严阵，等. 秦巴花岗岩. 武汉：中国地质大学出版社，1988

67 石铨曾，陶自强，庞继群. 栾川群沉积环境和构造. 见：关保德，等. 河南华北地台南缘前寒武纪—早寒武世地质和成矿. 武汉：中国地质大学出版社，1996

68 孙大中，胡维兴. 中条山前寒武纪年代构造格架和地壳结构. 北京：地质出版社，1993

69 孙枢，从柏林，李继亮. 豫陕中元古代沉积盆地. 地质科学，1981(4)

70 孙枢，从柏林，李继亮. 豫陕中晚元古代沉积盆地. 地质科学，1981，26(4)

71 汤耀庆，卢一伦. 东秦岭蛇绿岩的形成时代和构造环境. 成都地质学院学报，1986，13(2)

72 屠森，栾川，卢氏. 洛南一带震旦亚界地层的对比意见. 河南地质，1979(2)

73 万成，王春宏. 河南熊耳山地区金矿的构造控矿特征. 河南地质，1993，11(1)

74 王鸿祯，徐成彦，周正国. 东秦岭古海两侧大陆边缘的构造发展. 地质学报，1982，56(3)

75 王铭生，武新强，宋峰. 河南毛集—二郎坪断陷带主体构造格架的确立及意义. 中国区域地质，1999，18(1)

76 王润三，刘文荣. 二郎坪群蛇绿岩的产出环境. 见：刘国惠，张寿广. 秦岭大巴山地质论文集(一)变质地质. 北京：北京科技出版社，1990

77 王义文. 中国金矿稳定同位素地球化学研究. 贵金属地质，1988(2～3)

78 王志光，等. 华北地块南缘地质构造演化与成矿. 北京：冶金工业出版社，1997

79 王志宏，等. 阶段性板块运动与板块增生. 北京：中国环境科学出版社，2000

80 席文祥. 豫西陕县放牛山组的建立. 中国区域地质，1994(4)

81 徐文超，庞振山，周奇明，等. 河南省栾川钼矿田外围铅锌银矿成矿地质条件分析及找矿前景. 矿产与地质，2003，17(3)

82 徐文忻. 我国某些前寒武纪多金属矿床和岩石的 Pb-Pb 同位素研究. 地球学报，1997，18(增刊)

83 阎中英. 熊耳群火山岩系岩石地球化学特征. 河南地质，1985(2)

84 燕长海，刘良才. 汝阳西灶沟铅锌矿床地球化学异常特征. 河南地质，1992，10(1)

85 燕建设，王铭生，星育才，等. 马超营断裂带金矿包体及氢氧同位素研究. 河南地质，1998，16(1)

86 燕建设，王铭生，星育才，等. 马超营断裂带金矿床 $\delta^{34}S$ 特征及有关问题讨论. 河南地质，1998，16(2)

87 燕建设，王铭生，杨建朝，等. 豫西马超营断裂带的构造演化及其与金等成矿的关系. 中国区域地质，2000，19(2)

88 燕建设，星育才. 马超营断裂带区域地球化学特征. 河南地质，1999，17(1)

89 燕建设. 马超营断裂带地质及地球化学特征. 河南地质，1996，14(2)

90 杨国清. 构造地球化学. 桂林：广西师范大学出版社，1990

91 杨忆. 华北地台南缘熊耳群火山岩系特点及形成的构造背景. 岩石学报，1990(2)

92 袁学诚，徐明才，唐文榜，等. 东秦岭陆壳反射地震剖面. 地球物理学报，1994，37(6)

93 翟裕生，邓军，李晓波，等. 区域成矿学. 北京：地质出版社，1999

94 翟裕生，张湖，宋鸿林，等. 大型构造与超大型矿床. 北京：地质出版社，1997

95 张本仁. 勘查地球物理、勘查地球化学文集(第二集). 北京：地质出版社，1985

96 张国伟，等. 秦岭造山带的形成及其演化. 西安：西北大学出版社，1987

97 张侍威，和志军. 北秦岭构造带(河南段)金、铜遥感地质综合找矿模式研究. 地质与勘
探，2003，39(1)

98 张晓春，冯凤雪，王正晓. 用区域重力资料确定的华北地台南缘地缝合线及其地质意义.
河南地质，1997(4)

99 赵化琛. 我国若干裂谷构造特征及其成矿作用. 矿产与地质，1995，9(1)

100 赵鹏大，等. 矿床统计预测. 北京：地质出版社，1983

101 赵太平，原振雷，强立志. 华北板块南缘熊耳群钾质火山岩系地球化学特征与成因. 见：
河南地质矿产与环境文集. 北京：中国环境科学出版社，1997

102 赵太平，原振雷. 熊耳群火山熔岩的岩相学特征. 河南地质，1995，13(1)

103 赵太平，周美夫，等. 华北陆块南缘熊耳群形成时代讨论. 地质科学，2001，36(3)

104 赵太平，庄建敏，原振雷. 华北板块南缘熊耳群火山岩系岩石类型及火山岩系系列. 华
北地质矿产杂志，1996，11(4)

105 郑永飞，陈江峰. 稳定同位素地球化学. 北京：科学出版社，2000

106 周鼎武，刘良，华洪，等. 北秦岭中晚元古代地质演化特征及有关问题讨论. 高校地质
学报，1996，12(2)

107 周洪瑞，王自强. 华北大陆南缘中新元古代大陆边缘性质及构造古地理演化. 现代地
质，1999，13(3)